D1484108

Greguerías

Letras Hispánicas

Ramón Gómez de la Serna

Greguerías

Edición de Rodolfo Cardona

OCTAVA EDICIÓN

CATEDRA
LETRAS HISPANICAS

Ilustración de: *Birdman and post,* de Edward Burra

© Eduardo Alejandro Ghioldi
© Ediciones Cátedra, S. A., 1995
Juan Ignacio Luca de Tena, 15. 28027 Madrid
Depósito legal: M. 30.415-1995
ISBN: 84-376-0212-2
Printed in Spain
Impreso en Gráficas Rógar, S. A.
Fuenlabrada (Madrid)

Índice .

Índice

A Octavio y Marie-José

Presentación general de Ramón

Ramón Gómez de la Serna, o simplemente RAMÓN, como se le conoció en toda Europa y Latinoamérica durante las décadas de los 20 y los 30, cuando estaba en el auge de su fama, nació en Madrid en 1888 de una familia acomodada y con aspiraciones literarias. Aunque estudió Derecho —y se licenció— sus aficiones literarias se manifestaron desde muy temprano y su padre las cultivó fundando una revista (*Prometeo*, 1908-1912) que le sirvió a Ramón como instrumento para sus tempranos experimentos literarios y para publicar importantísimos textos de la naciente vanguardia europea. Cuatro años antes de la fundación de la revista el precoz adolescente ya había publicado su primer libro con el profético título de *Entrando en fuego* (1904).

Ramón, madrileñísimo como Lope y Mesonero, dedicó muchas de sus páginas más inspiradas a su querida ciudad que, sin embargo, abandonó en vísperas de comenzar la Guerra Civil del 36 para irse a vivir a Buenos Aires, donde poco antes había conocido a Luisa Sofovich, la que fue su compañera inseparable hasta su muerte en esa ciudad en 1963. A pesar de su amor a Madrid, Gómez de la Serna flirteó con varias otras ciudades europeas: Estoril —donde construyó su chalet ideal que iba a ser el centro de sus actividades literarias hasta que se vio obligado a deshacerse de él para pagar sus deudas— es el teatro de su novela *La quinta de Palmyra* (1923); París, donde suceden las más memorables escenas de *La viuda blanca y negra* (1918); Nápoles, ciudad interpretada en su

11

novela *La mujer de ámbar* (1927); y, claro, Madrid, cuya
novela es *La Nardo* (1930). Escribió su novela *Cinelandia,*
sobre Hollywood, sin haber visitado nunca la capital del
cine.

Pero el Madrid de Ramón aparece en miles de sober-
bias páginas dedicadas a reconstruirla históricamente: *El
Rastro* (1915, 2.ª ed. 1920, etc.), *Primera proclama de
Pombo* (1915) y *Segunda proclama de Pombo* (1916), *Toda
la historia de la calle de Alcalá* (1920), *Toda la historia de
la Plaza Mayor* (1920), *El Prado* (1920), *Madrid* (1920),
Toda la historia de la Puerta del Sol (1920), *El Chalet de las
Rosas* (1923) —la novela de Ciudad Lineal—, *La Sagrada
Cripta de Pombo* (1924), segunda edición de *Toda la
historia de la Puerta del Sol* (1925), *La Nardo* (1930),
Elucidario de Madrid (1931), otra edición ampliada de *El
Rastro* (1931 y 1933), *Las tres gracias, novela madrileña de
invierno* (1949), *Lope viviente* (1954), *Nostalgia de Madrid*
(1956), *Guía del Rastro* (1961), *Piso bajo* (1961), para
mencionar las más obvias.

Ramón es, sin duda, el escritor más pintoresco que
España ha producido desde que en el siglo XVI Antonio
de Guevara se dio a conocer por toda Europa con la
publicación de su *Reloj de príncipes,* en 1529. Fundó
en 1915 una tertulia literaria en el Café Pombo, situado
en la calle de Carretas, no muy lejos de la Puerta del Sol.
Esta tertulia duró, con pocas interrupciones, hasta el año
36. Su crónica se encuentra en las inolvidables páginas de
los dos tomos de *Pombo* (1918) y *La sagrada cripta de
Pombo* (1924), donde se puede leer la interminable lista de
los famosos escritores y artistas de todo el mundo que hicieron su peregrinaje a pagar tributo al Gran Lama del
humorismo y de la vanguardia españoles. De todos los
escritores de su generación fue el único que trató de crear
en Madrid un ambiente verdaderamente cosmopolita y
moderno, como Octavio Paz nos ha recordado reciente-
mente. Sus locuciones por la radio, sus literalmente ico-
noclásticas conferencias "de maleta" y "de baúl"[1], sus

---

[1] *Literalmente,* porque en muchas de ellas rompía con un martillo
algún bibelot cursi después de hacer sus comentarios humorísticos.

intervenciones en los circos de Madrid y París, le hicieron merecedor del título de "humorista". Junto con Charles Chaplin y los escritores italianos Bontempelli y Pitigrilli, fueron los únicos extranjeros invitados como miembros de número a la Academia del Humor de Francia.

Sería un error, sin embargo, considerar a Ramón simplemente como un humorista y como un *enfant terrible* de las vanguardias. Sus obras van más allá de los barroquismos verbales imaginativos y humorísticos. Su obra no soslaya los problemas filosóficos más importantes y trasciende la pura invención cómica e imaginativa. Su preocupación por la muerte —en este aspecto es importante considerar el título de su autobiografía: *Automoribundia*— con el mundo de las cosas y, en fin, con la naturaleza misma de la Realidad, le llevaron a escribir textos brillantes como *El Rastro* (1915, etc.), su multifacética recreación literaria del famoso mercado madrileño que ejemplifica su interés por las cosas; *El circo* (1922), cuya fascinación también captó la atención de Picasso, Gertrude Stein, Max Jacob, etc. Ramón fue también uno de los primeros españoles de su generación en elevar lo erótico a un alto nivel literario y artístico en novelas como *La viuda blanca y negra* (1918), *La mujer de ámbar* (1927), *La Nardo* (1930), y su libro *Senos* (1918) es precursor en haber destacado el fetiche erótico de nuestra generación.

No podemos olvidar en esta presentación de su importancia como escritor la contribución que hizo Ramón en el campo de la biografía. Sus "retratos" forman una importantísima galería en la que econtramos sus penetrantes e intuitivas caracterizaciones de figuras destacadas en el mundo de las artes y de las letras de quienes nos da su personalísima interpretación. Algunos de sus "retratos" se han extendido y elaborado para formar verdaderas biografías: *Oscar Wilde* (1921), *Goya* (1928), *El Greco* (1935), *Velázquez* (1943), etc.

Pero Ramón es quizá más conocido hoy día por sus *Greguerías,* las que estudiaremos con más detalle en sección aparte.

Introducción a la «greguería»

I

El cisne mete la cabeza debajo del agua para ver si hay ladrones debajo de la cama. He aquí una yuxtaposición incongruente cuya justificación se encuentra en la asociación de movimientos afines. Pero es válido preguntarse, ¿es esta asociación intelectual, conceptual —como sucede en el conceptismo del siglo XVII en lo que suele llamarse "ingenio" o *wit*— o es, por el contrario, una asociación que surge del subconsciente? A veces esta distinción es difícil de determinar en algunas *greguerías* del genial escritor español Ramón Gómez de la Serna; de ahí que nos sea también difícil clasificarle como heredero directo de Quevedo o Gracián o, por el contrario, como iniciador en España — y posiblemente en Europa, ya que sus primeras *greguerías* datan del año 1910— del Surrealismo. Pero, claro, es posible también que exista en Ramón una doble tendencia en que se unen estas dos posibilidades.

Ramón, al tratar de definir el proceso de la *greguería,* tiende a hacer hincapié en el aspecto subconsciente —es decir, accidental o fortuito, por asociación— y no en el conceptual que es buscado. Así, él dice, por ejemplo, que las *greguerías* "son sólo fatales exclamaciones de las cosas y del alma al tropezar entre sí por pura casualidad". Es decir, que la *greguería* no se busca, no se fabrica, sino que tiende a surgir espontáneamente de la impresión momentánea que una cosa, un objeto, o lo que sea, produzca en nuestra imaginación. La impresión puede causar en nosotros una asociación puramente visual, como resultó en la *gregueria* citada al principio, o como en esta otra *greguería* de cisne: *En el cisne se unen el ángel y la serpiente.* Como ocurre con los chistes, o con la poesía, si la *greguería* se explica, pierde su arte. Sería absurdo elaborar sobre la anterior y decir que el cisne, con sus enormes alas, se semeja a un ángel —también por su pureza y blancura— pero que su largo cuello nos hace pensar en una serpiente. Esta descripción de las impresiones visuales producidas por las partes constituyentes de un cisne hace que se pierda la gracia y la poesía que tiene la *greguería* citada. Cuando Woodman, uno de los caricaturistas de la revista *New Yorker* dibuja una representación muy realista de una grapadora y luego traza una línea detrás, representando el horizonte y dibuja enfrente un pequeñísimo camello con un árabe montado sobre él, está creando una *greguería* pictórica que no necesita de texto para su comprensión. Las figuras dibujadas crean toda una visión de la esfinge en el inmenso desierto de Egipto (ver figura). El procedimiento visual es el mismo que utiliza Ramón decenas de veces.

Otras veces, sin embargo, es el sonido de una palabra el que nos sugiere una asociación que se aplica, con cierta lógica interna, al objeto, produciendo un efecto verdaderamente poético como en *La liebre es libre,* con su hermosa aliteración.

La *greguería,* sin embargo, puede surgir de la observación corriente de un detalle universal —es decir, algo que todos hemos notado en algún momento de nuestras vidas o, incluso, hemos experimentado en nosotros mismos. Y de este hecho surge su gracia, como cuando

Ramón observa que *El fotógrafo nos coloca en la postura más difícil con la pretensión de que salgamos más naturales*. Una observación común y cotidiana, puede crear una imagen poética, por una simple asociación: *De la nieve caída en los lagos nacen los cisnes.*

Pero existen aún otras posibilidades, como la de la siguiente observación filosófica: *Si el hombre tiene tanto miedo a la muerte, ¿por qué se mata? — Porque al quitarse la vida se quita el miedo.* Esta *greguería* es casi un chiste cruel, pero no lo es por su enunciado. En el último análisis es su *forma* lo que determina la esencia de la *greguería.* Por eso pertenece a un género reconocido en la literatura europea que es el poema en prosa. Es curioso notar en la evolución cronológica de la *greguería* que se van acortando; las más modernas resultan casi siempre de un renglón, mientras que alguna de las más antiguas —que quedaron eliminadas de su *Total de greguerías* por Ramón— son de hasta una página y más. Veamos algún ejemplo de este tipo:

Por gustar una dulce pesadumbre se faltaría a la cita...
—No, no... —dice nuestro respeto.
Pero marrulleramente, ladinamente, zumbonamente, no miramos el reloj, esperamos leer una página más, escribir una última idea... Nos apresuramos para acabar, nos sofocamos en una carrera en la que nos ensordecemos, y cuando al final volvemos a mirar el reloj, vemos que ya es definitivamente tarde... Entonces, llenos de contrariedad y de gusto, nos sentimos libres... Sólo cuando se trata de un entierro estas contradicciones son muy penosas. ¿Vamos? ¿No vamos?, ¿se enterará el muerto? Le vemos esperarnos hasta no dejar que cierren su caja aún, porque espera que le miremos por última vez... Le vemos impacientarse en su gran inmovilidad, esperar otro momento más, y por fin dejar que cierren la caja... «Quizás le vea en el cementerio —piensa el muerto entonces—, cuando abran la ventanita en que, como la esfera del reloj en los relojes de larga caja, se verá mi rostro...» Pero no nos hemos decidido aún, cuando ya le vemos bajar por la escalera, pesando como un baúl de esos en que van libros y que abruman al mozo y le hacen tan difícil bajar la escalera... Vemos la comitiva ponerse en

marcha... Aún podríamos alcanzarle, tenemos deseos de salir gritando: «¡Cochero, cochero, pronto, al cementerio», como cuanto tememos llegar tarde al tren... Pero aún nos quedamos, porque pensamos en que nos tenemos que vestir y en que hemos de ponernos una corbata negra... Por fin vemos abrirse la ventanita final, la vemos cerrarse, y así resulta que hemos perdido el tiempo, un tiempo más largo que el que hubiéramos invertido yendo y viniendo.

Esta *greguería* consiste en una serie de observaciones sobre "la dulce pesadumbre" de faltar a una cita. Con la misma técnica narrativa que suele utilizar en sus cuentos, parte Ramón de lo general, que luego particulariza por medio de esas mismas observaciones "universales" de nuestra experiencia consuetudinaria a que ya nos referimos más arriba.

Las dos *greguerías* que siguen, también del tipo elaborado que Ramón parece evitar más tarde, se logran por medio de la yuxtaposición de dos experiencias u observaciones que en un proceso dialéctico crean una síntesis que adquiere por sí misma consistencia de verosimilitud a pesar de su incongruencia. De ahí que resulte humorística. El procedimiento es comparable al de superponer dos transparencias que, conjuntamente, resultarán en un diseño disparatado pero, a la vez, agradable y divertido. El efecto cómico surge también de la trasposición de expresiones u observaciones de la vida ordinaria a otra clave:

> El que compre esas alcobas expuestas en los grandes escaparates de las casas de muebles, sentirá en su alcoba, la noche de la boda, un fisgoneo de miradas de duendes, las miradas de los transeúntes que miraron la alcoba en el escaparate, que pervirtieron su castidad, que se acostaron y se gozaron en la cama expuesta, y se sentirán así como en la alcoba del escaparate iluminado. Será inútil echar los estores y cerrar las maderas.

* * *

Esas moscas que han venido con nosotros en el tren desde aquella lejana estación, ¿qué pensarán cuando se encuentren en la gran ciudad turbulenta e intrincada? Se

18

volverán quizás locas, se estrellarán confusas, como provincianas o aldeanas arrancadas a su familia y abandonadas en el gran andén, correrán despavoridas sin encontrar posada; las moscas rateras y tratantes en blancas que esperan a esas incautas moscas en las estaciones las acabarán de perder.

* * *

Un incidente de nuestra vida cotidiana puede llevarle a una observación filosófica, incluso cuando no es más que un juego infantil:

> Dar a una piedrecita con el pie y llevarla así siempre adelante, adelante, es algo más trascendental de lo que parece a simple vista... No hay trivialidad que ayude tanto a no ocuparse del camino, de la largura del camino y de los pesadumbrosos pensamientos que surgen en él... Es curioso cómo sucede ese enganche: se encuentra la piedrecita, la cáscara, el bote o lo que sea, ese rabo o ese tacón, o esa contera de una cosa, se tropieza con ella una vez para quitarla del camino, pero en vez de hacer sólo eso, se la empuja de frente y se la vuelve a empujar al encontrarla a los pocos pasos y se la vuelve a dar un puntapié, pero cuidando ya más de que no se desvíe, ya con verdadero cariño por ella, hasta llegar a seguir el camino, atraídos por esa avidez del objeto por seguir avanzando... Así, nuestra finalidad llega a no tener término y violentos y excitados, quisiéramos un camino interminable para seguir haciendo avanzar nuestra taba ideal a través de este y del otro mundo, como si eso resolviese mejor nada el objeto de nuestra vida. Lo fundaría con ese único credo la secta de los «tabistas».

* * *

En algunos casos Ramón ha llegado a caer en la viñeta barojiana que raya en lo sentimental. Más tarde se ha cuidado mucho de evitarla:

> El violón llevado en andas por los pobres ciegos, dos cogiéndole por la cabeza caída con la melena de clavijas colgando y otros dos cogiéndole por los pies, todos ellos dirigidos por un guía indiferente de ojos vivos, y seguidos por un grupo final de tristes asistentes al sepelio, todos unidos entre sí por las manos afectuosas que se apoyan

en los hombros, formando así una larga guirnalda inseparable que comienza en el guía aburrido —como el cochero del entierro— y acaba en el último, que es el más jorobado por la fatalidad, el que arrastra más los pies, el que va más vestido de duelo, parece ser —¡pobre violón!— un desgraciado muerto de cuerpo presente, al que conducen sus compañeros a través de la ciudad distrída, viva y banal... Todos, en el simulacro de entierro, parece que van apesadumbrados, con la cabeza abatida y el cuerpo doblado hacia la tierra, como compungidos, abrumados y con los ojos arrasados...

* * *

Las mejores de estas *greguerías* "elaboradas" son las que, como la siguiente, crean una imagen poética y humorística a la vez, de un incidente cotidiano sin trascendencia:

> Al ver esos carros llenos que van dejando parte de su carga en el camino, pensamos que cuando lleguen a su destino llegarán vacíos. Sólo nos parece que compensa esa desdicha el que eso hará que sepan volver sin perderse, siguiendo la estela del reguero que les desangró.

II

Una de las constantes que se destacan rápidamente al leer un par de páginas de *greguerías* de cualquiera de las antologías, incluida la presente, es la gran preponderancia de elementos humorísticos unidos a un creacionismo poético. Ramón mismo ha definido la *greguería* por medio de la siguiente ecuación:

$$\text{Metáfora} + \text{Humor} = \text{Greguería}$$

Sin embargo, al continuar leyendo críticamente en nuestra antología pronto nos damos cuenta de que la ecuación ramoniana no puede aplicarse estrictamente a todas las *greguerías,* aunque sí nos da dos de los elementos más constantes que las constituyen. Es preciso recalcar ese origen, las más veces subconsciente, de donde surgen las asociaciones inesperadas que producen el humor. Ese elemento de sorpresa, de hecho, es lo que, en la mayoría de los casos produce el efecto humorístico.

Sería posible *explicar* muchas de las *greguerías* aplicándoles los procedimientos que, según los teóricos, producen lo cómico. Uno de ellos, mencionado por Bergson, es el de las *inversiones*. En efecto, Ramón utiliza inversiones en algunas *greguerías* y estas inversiones producen lo cómico. Por ejemplo: *El polvo está lleno de viejos y olvidados estornudos.* Tenemos aquí una relación lógica —el polvo nos hace estornudar— pero invertida. Pero, ¿basta esto para comprender lo que es esta *greguería*? Creo que no. La *forma* en que se ha enunciado esta relación es tan importante como el elemento humorístico conseguido. Pero más allá de la *forma* tenemos las *sugerencias* creadas por los dos adjetivos, "viejos" y "olvidados". Si los omitimos quedaría únicamente la inversión humorística: *El polvo está lleno de estornudos,* que *no* es una *greguería*.

Las costillas del esqueleto son como una jaula rota de la que se ha escapado el pájaro, enuncia, así mismo, una asociación visual pero de increíbles sugerencias que van más allá de lo puramente visual y de cualquier humor que de ella pueda surgir. Técnicamente se podría explicar el procedimiento —como de hecho lo hice en mi libro sobre Ramón[1]— como la utilización del impresionismo y del expresionismo literarios tal y como estos términos fueron definidos por Charles Bally y Elise Richter, respectivamente[2]. El hecho es que se trata de un producto de la creación poética, como hace años apuntó Melchor Fernández Almagro al hablar de revelación, de sorpresa, de misterio aclarado en este o aquel detalle ínfimo[3]. Este crítico se refiere también a la "fuerza recreadora" de Gómez de la Serna al transformar todo lo que él toca. Es

---

[1] *Ramón: A study of Gómez de la Serna and his works,* Nueva York, 1957.

[2] Charles Bally, "Impressionisme et grammaire", *Mélanges offerts a M. le professeur Bernard Bouvier,* Ginebra, 1920; E. Richter, "Impressionismus, Expressionismus und Gramatik", *Zeitschrift fur romanische Philologie,* Appel-Fetschrift, XLVII, Halle, 1927, págs. 349-371. Ambos estudios aparecen en castellano en *El impresionismo en el lenguaje,* Buenos Aires, 1936.

[3] Reseña a *Cartas a las golondrinas, Clavileño,* II, núm. 10 (1951), página 73.

precisamente esta fuerza de expresión creativa la que distingue a la poesía de la expresión constructiva de la prosa.

Hace muchos años, cuando el movimiento "imaginista" estaba aún en su apogeo entre ciertos poetas ingleses y norteamericanos, el crítico inglés Sir Herbert Read explicaba que en poesía las palabras nacen o re-nacen en el acto mismo de pensar. Las palabras son, en términos bergsonianos, un devenir; se desarrollan en la mente *pari pasu* con el acto de pensar. No hay intervalos temporales entre palabra y pensamiento. El pensamiento es la palabra y la palabra el pensamiento, y ambos, pensamiento y palabra, constituyen la poesía. "¿Se sigue entonces que la poesía es mero asunto de palabras?", pregunta el crítico. Su contestación es afirmativa: "...asunto de palabras condicionadas por la emoción que expresan. Asunto de una palabra, como *incarnadine* en Shakespeare..., o de todas las palabras necesarias para expresar un pensamiento como la *Divina comedia*"[4]. Si aceptamos esa definición, no cabe duda de que la *greguería* está íntimamente asociada con lo que podemos llamar actividad poética.

En el "Prólogo" a su *Total de greguerías,* Ramón define este "género" —y así lo llama él— como "el atrevimiento de definir lo indefinible, a capturar lo pasajero, a acertar lo que puede no estar en nadie o puede estar en todos". Ramón, entonces, aspira a una inteligibilidad superior. Sus *greguerías* no son meros juegos de palabras, o maneras de juntar asociaciones espontáneas e inéditas; son más bien un medio para lograr una intuición sobre el universo y de proclamar esa intuición. Y como al hacerlo intenta captar lo inexpresable, retener lo inatrapable, dar con lo que nadie ha visto antes, su labor es a la vez intuitiva y poética[5].

---

[4] Sir Herbert Read, *English prose style,* Nueva York, 1928, pág. X.
[5] No puedo pretender, en esta ocasión, el dar una idea exhaustiva de las *greguerías*, de su creación y subsiguiente desarrollo, ni mucho menos de lo que la crítica ha tenido que decir sobre este genial descubrimiento de Ramón. Para ello remito a los lectores interesados a los capítulos y

III

El último de los muchos temas posibles sobre la *greguería* que deseo tratar es el de su originalidad. Ramón mismo en su "Prólogo" a *Total de greguerías,* menciona el hecho de que él ha encontrado algunas en autores muy antiguos. Entre otras, destaca una de Luciano (*Cuando graniza en la Tierra, es que tiemblan las vides de la Luna*), de Shakespeare (*El ave del alba. Los ojos son los locos del corazón*), de Pascal (*Los ríos son caminos que andan*), de

pasajes correspondientes de mi libro ya citado y, sobre todo, a dos tesis doctorales que las estudian exhaustivamente: la de Richard Lawson Jackson, *The Greguería of Ramón Gómez de la Serna: A study of the genesis, composition, and significance of a new literary genre,* Ann Arbor (University Microfilms, Inc.), 1963, y la de Miguel González-Gerth, *Aphoristic and novelistic structures in the work of Ramón Gómez de la Serna,* unpublished Ph. D. Dissertation, Princeton University, 1973. Ambas son utilísimas y presentan, en detalle, numerosos aspectos sobre el posible origen de este "género" (Jackson es más positivo en cuanto a la consideración de la *greguería* como un género literario independiente que González-Gerth quien, como indica el título de su tesis, considera la *greguería* como una estructura aforística y, por consiguiente, no un género independiente), su difusión, y su recepción crítica. La primera parte de la tesis de González-Gerth es indispensable para el estudioso de la *greguería* ya que en el primer capítulo de la misma nos presenta un utilísimo resumen de lo que se ha escrito sobre ella entre su génesis (hacia 1910, según Ramón) y 1950 y entre 1950 y el año mismo en que se escribió la tesis (1973). El segundo capítulo de esa primera parte discute el peliagudo problema de si la *greguería* es un *género* o, más bien, un "estilo". Al considerar este asunto González-Gerth nos transmite lo que Ramón mismo ha dicho, lo que él cree, y termina presentándonos la *greguería,* su naturaleza y su contexto literario. Sus conclusiones en cuanto a la naturaleza de la *greguería* pueden resumirse de la siguiente manera: existen dos tipos de aforismos greguerísticos, *el descriptivo* y *el narrativo.* Las posibilidades sintácticas del primer tipo pueden incluir las siguientes construcciones básicas: I (1), A es (como) B (*El pétalo de un beso*); I (2), A (general) actúa sobre B (general) (*La luna adora los acantilados*); I (3), B (general) actúa sobre A (general) (*El gato asiste a la tertulia como si le diese sueño la conversación*). [Soy de la opinión que este ejemplo pertenece a un extenso modelo de greguerías construidas con la estructura *como si:* A actúa como si (manera de actuar).] Las posibilidades del segundo tipo, el "narrativo", las agrupa González-Gerth del modo siguiente: II (1) A (particular) actúa sobre B (particular o general) (*Era tan exquisita y tan poderosa, que se mandaba hacer los sueños a su gusto y medida*); II (2)

Quevedo (*Los ojos pequeños tienen niñas, y los grandes mozas*). Cita también *greguerías* de autores más cercanos a él como son Víctor Hugo, Heine, Hebbel, Jules Renard, etcétera. Algunos críticos las han tratado de asociar, erróneamente, como creo haber podido demostrar en mi libro, con las *humoradas* de Campoamor o las *diapsalmata* de Kierkegaard. También se ha asociado a Ramón, por su estilo (y éste, como creo haber demostrado en mi libro es eminentemente *greguerístico*) con escritores franceses simbolistas y post-simbolistas (Mallarmé, Jules Laforgue,

A (general) es (como) o actúa sobre B (en un momento particular) *(El gato sólo admira al hombre cuando echa un leño más en la chimenea)*; III (3) A es (como) o actúa sobre B (bajo condiciones especiales) *(Si hay una miga en la cama, el sueño estará lleno de promontorios y peñascos)*. No estoy seguro que estas construcciones indicadas por González-Gerth cubran toda la gama de posibilidades. Por ejemplo, hay *greguerías* que destacan una supuesta cualidad única del objeto *(Sólo el paraguas de los niños es el que tapa)*; otras son simplemente una advertencia *(No confiéis demasiado en la raya blanca que divide la calle)*; aún otras, la caracterización de un momento especial *(Momento crucial: momento de tomar churros. O, Primavera: niñas con el jersey atado a la cintura)*; y, algunas nos dirigen una pregunta *(¿Podemos permitir que al tomate se le llame 'la tomate' en Francia?)*. En fin, que todo intento de clasificación de las *greguerías,* a no ser que se haga por temas, nos lleva a un callejón sin salida, lo cual no quiere decir que los que se han hecho —el de González-Gerth, por ejemplo— dejen de ser útiles, pues, en efecto, una gran abundancia de *greguerías* caben dentro de su clasificación estructural. El profesor Jackson, en un apéndice de su tesis, clasifica por su tema una selección de *greguerías*. Los temas que él escogió son los siguientes: razas o grupos étnicos *(Los chinos no tienen bien abiertos los ojales de sus ojos, El español es un alma en pena,* etc.); letras y números *(La B mayúscula es el ama de cría del alfabeto, El 6 es el número que va a tener familia,* etc.); mujeres y niños *(La mujer pinta las uñas para tener diez corazones a mano, El bebé se saluda a sí mismo dando la mano a su pie,* etc.); la luna *(La luna sueña que es la luna, La luna es la lápida sin epitafio,* etc.); las estrellas *(Bajo las estrellas somos como enanos, Estrellas: candiles de los siglos,* etc.); Dios *(En la pizarra del cielo la mano de Dios borra unas estrellas y escribe otras, Ideas: centimillos que se le han caído a Dios)*; el sol *(El sol es el gran ajustador de la máquina humana, Sólo el sol puede dar vacaciones a las nubes)*; insectos *(Las hormigas blancas son la resurrección de los muertos, El grillo mide las pulsaciones de la noche)*; ascensores *(El ascensor llama a todas las puertas por las que pasa pero sólo una le hace caso, El ascensor es un paracaídas que también sirve para subir)*; el ombligo *(El ombligo se quedó guiñando el ojo, Al ombligo le falta el botón)*; estatuas *(Las estatuas son las espías de*

Remy de Gourmont, Max Jacob) y, naturalmente, con los surrealistas. Yo mismo le he presentado como precursor del Dadaísmo, del Cubismo, del Surrealismo.

Hoy día, veintidós años después de haber escrito mi libro, con las *humoradas* de Campoamor o las *diapsalmata* lectura, de enseñanza, posiblemente sería más cauteloso en hacer las aseveraciones que hice entonces. Hoy veo todos estos movimientos artísticos y literarios más confusamente unidos dentro de un clima de época que afecta íntimamente el arte y la cultura europeas. Casi todas estas

---

la luna, Las estatuas viven porque comen palomas); besos (*El beso es una nada entre paréntesis, El beso nunca es singular*); humo (*El humo es la oración del hogar, El humo no logra pintarle bigote al cielo);* queso *(El queso es el ahorro de la leche, El queso roquefort tiene gangrena*); calaveras, huesos y esqueletos (*La calavera es un reloj muerto. Nuestra verdadera y única propiedad son los huesos*); ríos y puentes (*Los puentes civilizan los ríos, El río cree que el puente es un castillo*); elefantes (*El elefante es la enorme tetera del bosque, El elefante no es un animal, es una asociación*); gatos (*El gato cree que la luna es un plato de leche, Si los gatos se subiesen unos sobre otros, llegarían a la luna*); monos (*El mono nos observa como si nos tomase por pedagogos, El mono no entiende pero está siempre queriendo entender*); cisnes (*El cisne es la S capitular del poema del estanque, Nunca queda posada una hoja sobre el cisne: le sería mortal*); paraguas (*Los paraguas son viudas que están de luto por las sombrillas desaparecidas, Abrir un paraguas es como disparar contra la lluvia*); automóviles, bicicletas y motocicletas (*El ciclista es un vampiro de la velocidad, La motocicleta va disparando su pistola espantaperros*); corridas de toros (*La plaza de toros vuelve la espalda al mundo, Los cuernos del toro buscan un torero desde el principio del mundo*); la vida y la muerte *(La vida es concebir lo inconcebible, ¿En la muerte se sueña? He aquí el terrible problema);* relojes (*El reloj es una bomba de tiempo, de más o menos tiempo, Los relojes de pared no descansan más que en las mudanzas, El reloj nos va afeitando la vida,* etc.). Aunque la temática escogida por el profesor Jackson no es exhaustiva, nos da una idea de la repetición de ciertos temas. Es curioso notar que la mayor cantidad aportada por Jackson es sobre temas que podríamos llamar *clásicos* de la poesía lírica: la luna (tal vez el tema que más se repite), las nubes, los arcoiris, las estrellas, el sol, los cisnes, la vida y la muerte, Dios. De una temática más moderna, los animales en general y toda clase de máquinas y de cosas mecánicas (del tornillo y la tuerca hasta el avión, pasando por automóviles, bicicletas, trenes, motocicletas, etc., y los relojes en calidad de máquinas y como parte del tema del tiempo). Aunque Jackson no destaca el mar —con su flora y fauna— es uno de los temas más frecuentes en las *greguerías* de Ramón. Hace unos años

25

manifestaciones literarias que encontramos a partir de los primeros años de nuestro siglo son, de un modo u otro, herencias del simbolismo. Si hoy encontramos mayor congruencia es porque más y más estudios van apareciendo que nos ayudan a llenar lagunas y a reunir una serie de datos reveladores de esa congruencia.

Entre los años 1908-1910 empieza en Inglaterra un interés por la filosofía de Bergson, cuyas ideas ya habían captado también la imaginación de escritores franceses y españoles (recordemos que Antonio Machado fue a París a escuchar las conferencias del filósofo de la intuición; en mi libro ya mencionaba yo a Ramón como uno de los epígonos en España de Bergson). Una idea fundamental de este filósofo creó, casi simultáneamente, en Inglaterra y en España, las bases para el movimiento Imaginista y para la creación de la *greguería:* la idea de que la realidad es inaprensible para el intelecto por estar en constante estado de fluidez. La idea que surge hacia esta época es que el poeta, a causa de sus facultades intuitivas, puede aprehender lo instantáneo y expresarlo como poesía. La ley de las similitudes y de las "correspondencias" —herencia del simbolismo— dan al poeta la libertad necesaria para alcanzar esas imágenes momentáneas.

Ideas como ésas, o parecidas, empezaron a discutirse hacia 1908 en una "tertulia" organizada por T. E. Hulme en un restaurante del Soho, en Londres. Unos años más tarde el poeta norteamericano Ezra Pound, quien durante su temporada en Londres estuvo en contacto con Hulme y con F. S. Flint —cuyo importante artículo sobre "Poesía francesa contemporánea" se publicó en la *Poetry Review London* en agosto de 1912[6]— expresaba ideas

_____

(en 1961, para ser más exactos), se publicó una edición limitada y numerada de 1 a 300, de *Greguerías del mar,* que se distribuyó entre los asociados de la Oficina Central Marítima. (Debo este hallazgo a mi querido amigo y gran admirador de Ramón, Bill Zavatsky, poeta norteamericano de vanguardia y editor de libros vanguardistas en Nueva York.)

[6] Es curioso notar que fue precisamente F. S. Flint quien introdujo a Ramón al mundo de habla inglesa al traducir una sección de una obra de este escritor a la que da el título de *El Nuevo Museo* —no existe

como la siguiente: "Una imagen es aquello que presenta un complejo intelectual y emotivo en un instante temporal... La presentación de tal "complejo" instantáneamente es lo que da un sentimiento de liberación súbita..." ("An image is that which presents an intellectual and emotional complex in an instant of time... It is the presentation of such a "complex" instantaneously which gives that sense of sudden liberation...") "A Few Don'ts by an Imagist." *Poetry...*, pág. 200.) Pound en su *ABC of Reading*[7] declara lo siguiente que, en mi opinión, podría constituir un análisis técnico de los procedimientos que, en el caso de Ramón, pudieron llevarle a la *greguería*:

El lenguaje es un medio de comunicación.
Para cargar el lenguaje de significación
en el más alto grado posible, tenemos tres
posibilidades principales:

I   La proyección del objeto (fijo o en movimiento) en la imaginación visual.

II La inducción de relaciones emocionales a través del sonido y del ritmo del lenguaje.

III La inducción de ambos efectos por medio del estímulo de asociaciones (intelectuales o emocionales) que han quedado en la conciencia del que las recibe, en relación con esas palabras o grupos de palabras empleadas.

---

ninguna obra de Ramón con ese título y no he podido trazar el original del trozo traducido. De todos modos, es significativo el hecho ya que prueba que existió una conexión directa —por lo menos de afinidad— entre los Imagists ingleses y Gómez de la Serna. Es también importante destacar que la traducción se publicó en el segundo número, V. I., de la revista *The criterion,* fundada y dirigida por T. S. Eliot, el año 1923, en la página 196.

[7] A new directions paperbook, N. Y., 1960, págs. 63 y siguientes. (Traduzco del inglés.)

A estas tres posibilidades asigna Pound los siguientes términos griegos: *phanopoeia* (imagen visual proyectada en la pantalla de la mente), *melopoeia* (el estímulo o imagen que surgen del sonido de las palabras) y *logopoeia* (el "baile" del intelecto entre las palabras)[8].

Pound agrega una advertencia clave: "La incompetencia se manifestará en la utilización de demasidas palabras". Y elabora diciendo que la prueba más lógica y simple para el lector de la obra de un autor es la de buscar palabras que no tienen una función en el texto; que no contribuyen nada al significado o que distraen del factor más importante para el significado llevando al lector a factores de importancia secundaria.

Podemos ver fácilmente cómo este principio al cual Ramón llegó independientemente de Pound, contribuyó al cambio que se opera en sus *greguerías* que, como ya hemos indicado, van achicándose hasta quedar, las más de ellas, reducidas a su mínima expresión.

No deseo elaborar demasiado esta coincidencia entre el Imaginismo lanzado por Pound y las *greguerías* de Gómez de la Serna. Creo sin embargo que es importante darse cuenta de que el fenómeno literario que se opera por estos años, y que lleva a Ramón a la creación de la *greguería,* no es un fenómeno aislado. Lo original en Ramón es haberlo adaptado a propósitos muy diversos y

---

[8] Este último término es el más difícil de definir. N. Christophe-Nagy en un libro sobre Jules Laforgue titulado *Laforgue: essays on a poet's life and works,* Southern Illinois Press, 1969, trata sobre el significado de *logopeia* diciendo que puede definirse como "un principio poético que induce la alteración constante y voluntaria del significado de las palabras al colocarlas en contextos distintos de los del uso tradicional", páginas 125-26. La *logopeia* es un procedimiento importante tanto para Ezra Pound como para T. S. Eliot. Ambos lo aprenden de Laforgue, quien puede ser el lazo de unión entre Pound y Ramón. Hacia 1913 Pound escribió una *greguería* que, como las de Ramón, se ha comparado con un *haiku: The aparition of these faces in the croud/Petals on a wet black bough.* ("A station in the Metro"). Muchos de los datos anteriores lo debo a una reciente tesis doctoral: "The presence of modern French Literature in the writings of Ezra Pound", Boston University, 1979, presentada por Marc Widershien.

el haber logrado lo que ningún otro escritor europeo del momento logró hacer: el crear un estilo greguerístico aplicable a la narración larga, al cuento y aun a la novela. A lo más que llegó el Imaginismo y sus manifestaciones independientes en Francia fue al poema en prosa.

Ramón logró convertir la *greguería* en la expresión más directa de su actitud ante la vida, una actitud humorística (*sui géneris,* como apunté en mi libro). A través de su humor, Ramón se posesiona de la realidad circundante y, al hacerlo, la cambia y la convierte en arte, lo que es dar forma a esa realidad para que nosotros la veamos mejor. El humor en Ramón no es, pues, una simple técnica literaria o retórica, sino su visión de la vida y del mundo. El es el verdadero *homo ludens* y a través de este juego constante él logra percibir el verdadero significado de las cosas y logra también percatarse de lo serio que es el juego de la vida. Es en esta forma, además de otras igualmente significativas, donde Ramón entronca tan directamente con el Surrealismo. Los surrealistas consideraron su problema fundamental la liberación del subconsciente. Esto lo veían como único camino para alcanzar la verdad superior que buscaban. Para esta liberación utilizaron todos los medios posibles empezando con el rechazo de la lógica y del racionalismo, y se refugiaron en el campo de la ironía, el sarcasmo y el ridículo. El humor se convirtió en un medio de expresión así como en una actitud hacia el mundo. Esta completa liberación por medio del humor y la incongruencia encuentra su máxima expresión en la novela de Ramón que, precisamente, lleva el título de *El incongruente.* En esta novela consigue su autor una transformación lírica de la realidad en la que tienen lugar la casualidad y las asociaciones más sorprendentes. El proceso básico es idéntico al que observamos en las *greguerías* y está informado por el mismo creacionismo poético de que ya hemos hecho referencia. Las *greguerías,* además, constituyen la innovación estilística que posiblemente capte mejor la visión moderna de la realidad —una visión rápida y atomizada. Es el camino que Ramón encontró en su esfuerzo de expresar una realidad total. Esta se puede lograr únicamente a través de una visión múltiple. ("El punto de vista de la esponja"[9] lo ha llamado Ramón.) El cree que la visión unilateral —creada por el Renacimiento, según McLuhan, por la invención de la imprenta[10]— ya está agotada. Para salvarnos de nuestras propias limitaciones debemos adoptar ese "punto de vista de la esponja". Con esa super-visión se puede llegar, según él, a la expresión de lo inexpresable.

"El sueño —nos dice en una de sus greguerías 'freudianas'— *es un depósito de objetos extraviados."* De este "depósito" van surgiendo las más inesperadas y lúcidas visiones de la realidad que constituyen esta interminable serie de momentos del devenir bergsoniano. En muchas de sus *greguerías* encontramos una intención y tono parecidos a los que utiliza Goya en muchos de sus aguafuertes —sobre todo en los *caprichos* y *disparates*. Ramón mismo, al analizar esta faceta del arte de Goya dice cosas como las siguientes, en las que parece referirse al aspecto de su obra que nos ocupa:

> Muchas veces se comprende a lo largo del vivir que lo que se creyó disparate era lo que estaba más en razón, y lo que se creyó en razón era adocenamiento y algo peor que disparate, esperpento, o sea disparate juzgado, disparate horrísono... Cuando toda obra de arte era superficial..., representando ideas comunes, Goya intenta una interpretación *de lo que hay detrás de lo aparente...*[11].

Esta última frase es significativa y se puede aplicar a sus *greguerías* y, en último análisis, a toda la obra ramoniana: interpretar lo que hay detrás de la apariencia.

Los tubos fluorescentes padecen de epilepsia.
El viento es torpe: el viento no sabe cerrar una puerta.
Si te conoces demasiado a tí mismo, dejarás de saludarte.
La muerte es hereditaria.

---

[9] "El punto de vista de la esponja", en "Las palabras y lo indecible", *Lo Cursi y otros ensayos,* Buenos Aires, 1943, págs. 201-202.
[10] Ver Marshall McLuhan, *The Gutenberg galaxy,* Toronto, 1962.
[11] *Goya,* Buenos Aires, 1950, págs. 112-113, subrayado mío.

"Necrópolis": la última estación del Metro.
¿Qué está haciendo en realidad la luna? La luna está tomando el sol.
Mientras el toro lee su sentencia de muerte en la muleta, el rayo lo penetra.

Et cetera,
et cetera,
et cetera,
ad infinitum.

Modernidad de Ramón

La "Introducción" a mi libro sobre Gómez de la Serna, publicado en Nueva York hace veintidós años (1957), empezaba diciendo —y traduzco del original inglés:

> Es lamentable que un escritor como Ramón Gómez de la Serna sea tan poco conocido en el mundo de habla inglesa. Es lamentable, porque de todos los escritores españoles contemporáneos Ramón, como se le conoce en todo el continente, es, por muchas razones, el más representativo (p. xiii).

Exactamente diez años más tarde Octavio Paz, sin conocer mi libro, hacía eco a mis palabras proclamando a Ramón el gran escritor de la España contemporánea. No puedo menos de citar a Paz en esta ocasión pues sus palabras, como las mías, parecen haber caído en saco roto, pues hoy día, pocos de los magistrales textos de Ramón pueden adquirirse ni siquiera en su propia lengua españolísima. Oigamos lo que decía Paz en su artículo, publicado en los *Papeles de Son Armadans,* donde hacía una especie de revaloración general de la literatura española anterior a la Guerra Civil:

> Adrede no he mencionado a Ramón Gómez de la Serna. Para mí es el gran escritor español: el Escritor [con mayúscula] o, mejor, la Escritura [también con mayúscula]. Comparto la admiración, el fanatismo, de Larbaud: yo también habría aprendido el español sólo para leerlo. Gómez de la Serna, inmenso como Lope y como él popular, cotidiano, prodigioso, inagotable. Popular y

aislado: el cenobita en su ermita de Madrid o Buenos Aires, el solitario *"dans son tour au centre de notre capitale, disant précisement ce que nous cherchions a dire"*. Nunca fue más justo un elogio: hubo un momento en que la modernidad habló por la boca de Gómez de la Serna. Fue tan nuevo que lo sigue siendo... [hoy más que nunca, agregaría yo en 1979]. Fue tan poderoso y generoso que la muerte misma me parece, en sus páginas, saludable. ¿Cómo olvidarlo y cómo perdonar a los españoles e hispanoamericanos esa obtusa indiferencia ante su obra? (Año XII, tomo XLVII, núm. CXL, "Una de cal...", páginas 186-187.)

Anteriormente en este mismo ensayo Paz, al referirse a la noción de modernidad, la definía como "una pasión crítica" y observaba que "gran parte de la literatura española del siglo XX se opone a la modernidad, sea ésta amor a la actualidad o pasión crítica... [ ] ...esta literatura, como una sola excepción, no nos ha dado una obra que contenga su propia crítica...". Y echa de menos "la voluntad crítica y autocrítica, esa reflexión sobre el lenguaje y sus significados que, —dice Paz— a mi juicio, es la forma más lúcida y exasperada de la modernidad". La excepción a que Paz se refería en el texto es el poema *Espacio,* de Juan Ramón Jiménez. Posiblemente Paz no conocía, al escribir las palabras citadas, algunos textos teóricos de Ramón, como su ensayo "Las palabras y lo indecible", ni su magistral novela *El Hombre Perdido.*

Creo que la mejor manera de destacar la modernidad de Ramón es recordar estos textos y sugerir la deuda, directa o indirecta, que los más recientes escritores de lengua española que han procurado la renovación del lenguaje por su destrucción, tienen con Gómez de la Serna.

Su ensayo "Las palabras y lo indecible", (*Lo cursi y otros ensayos,* Buenos Aires, 1943, págs. 191-230), expone una doctrina estética que resulta de su convicción de que una literatura sólo puede surgir de una nueva "poética". El ensayo empieza proclamando que "Los transicionistas acaban de impedir la disgregación de la materia prima de las palabras"; y ésta es la clave de su doctrina del lenguaje. Ramón pide que se dejen a un lado las reglas de la sintaxis habitual establecida por el uso. Protesta en contra del callejón sin salida al que el lenguaje convencional ha empujado a la literatura y sostiene el derecho del escritor de crear su propio lenguaje.

> Hay que poner más mar entre las palabras y no hacer caso de ése que cree que están juntas, que se emparejan fácilmente y que sólo pueden ayuntarse las primas hermanas...

> La Academia no inventó nunca ni una palabra, entre otras cosas porque así hubiera amanecido esterlizada y muerta...

> La palabra se logra en estado místico y extramural. La hizo un inventor y la adoptó el pueblo que la oyó y gustó de ella...

> Karl Vossler entiende que el lenguaje es creación, espíritu, poesía, fantasía, intuición, estilo, individuo.

> Por eso los escritores tienen derecho al desvío verbal y, sobre todo, en una época en que se han vulgarizado tanto los temas y anda el alma perdida.

> Hay que reaccionar contra las palabras inertes que se quedaron inertes, y preferir lo incompleto a lo perfecto.

Hay que volver al origen mismo de las palabras y del lenguaje, "volverlo a encontrar en los abismos de que nace, en los mares rojos y azules en cuyo fondo están las palabras". Los escritores de hoy, para Ramón, deben hacer uso del poder creativo demostrado por los primeros habitantes del planeta quienes inventaron las primeras palabras y sufrieron la incomprensión de sus contemporáneos.

Más tarde Ramón define "lo indecible" explicando que:

> ...no es lo inconsciente, ni lo subconsciente, ni nada así, sino lo que está en esas landas de palabras que hemos dejado llenas de vegetación silvestre y más allá con sonrisas de salinas...

> Lo indecible es lo que se da por tal, porque la palabra se abstiene, porque pudiéndola coordinar hay el pasmo o la timidez de no coordinarlo. Lo indecible tiembla al preconizarle la aparición en el mundo de lo decible y da al correr el latigazo de sol y tierra de la lagartija.

Es necesario descubrir ese otro lenguaje que existe más allá del silencio y para lograrlo hay que ser osado, no tener miedo, porque lo "inexplicable" lo es sólo por falta de valor de parte del escritor.

> En el momento de no poder coordenar un ideal hay que lanzarse a lo incordine y se encuentra la belleza de las palabras, y la química de sus combinaciones, trastornando el sentido de cada cosa con un adjetivo lejano que no le corresponda, o poniendo cosa con cosa en una vecindad que supone una tercera cosa dubitante, monstruosa, con uñas de concha, con leontina de ubres...

Estas nuevas y desacostumbradas yuxtaposiciones, entonces, tienen el poder de descubrir, de resultar en lo que Ramón llama "una liberación por la incongruencia que va a llevar a una congruencia de materias conseguida en un plano superior".

A continuación cito un pasaje de *El hombre perdido,* texto del año 1947. Esta novela es esencialmente un experimento con el lenguaje. Es evidente que empieza con la utilización de palabras en incongruente asociación; así, las frases, en vez de ser unidades ordenadas y lógicas, parecen haber sido tiradas hacia afuera como en un estado de delirio. El siguiente ejemplo es la impresión del narrador de una mañana en la ciudad:

> Llovía la tristeza de lo que había sucedido el martes.

Era ese día en que nos olvida y nos deja imposibles la mujer a la que nunca conocimos.

Mi padre muerto como un pescadero que hubiese abierto muy temprano la tienda, me llamaba entre humedades y hielos.

Era día de ver volar manchas. Veía la mancha sola, sobre la mesa, sobre la pared, sobre el traje colgado y de pronto ya no la veía como una polilla que se nos escapa, como una lágrima de luz de bengala que muere cayendo pesadamente y no dejando huella.

A las ocho de la mañana ya ladran por ladrar los gallos y la vida tiene la tontería carillena que le es proverbial.

Todos los engaños están preparados y todos se lavan la cara y las manos como Pilatos se lavó una vez las manos en agua de plata.

Comenzaba la vida y paralelamente, estorbándola, se hacía la limpieza de los cristales y los dorados.

La compra-venta afilaba sus espadas y se repasaban los fondos de cada Banco para no dar sino a los que tenían depósito.

No había camino libre en todo eso. Mejor no verlo.

Estaba atravesado por el cierre del balcón que cerraba mal.

No podía haber intimidad mientras no cerrase mejor.

La falleba es la mano que va a quedar. Nos rechaza como a efímeros.

En que cierre bien está el toque del día desgraciado, la liberación del día de primavera, la indiferencia de lo inerte.

Me miré el reloj sin minutero de las uñas porque se ve en ellas lo que va a pasar y sin embargo no sabemos nada de ello, ni falta que nos hace. No se podrá vivir (página 49).

El hombre perdido continúa de esta manera durante 220 páginas. En ningún momento el lector puede descansar en islas de familiaridad. El "hombre perdido" busca significado para su vida y busca, así mismo, aquellos elementos de la vida que puedan considerarse "realidad". Las soluciones a esta búsqueda no se encuentran, sin embargo en la existencia cotidiana que normalmente denominamos nuestra realidad. Pero no es indispensable comprender. "Si se ha dicho que la comprensión absoluta es la muerte —nos advierte Ramón— en el no acabar de comprender está lo vital y el arte incomprendido es el que vale."

> Ya que no pueden morir las lenguas tienen que morir las literaturas y volverse tan oscuras como lo es una obra hebrea para el que no sabe hebreo, más aún, puesto que las literaturas muertas no podrán ser ni traducidas, ya que murieron escritas en lengua indudable.

> Este derrumbadero de los delirantes dará una contestación a lo incontestable y solucionará por medio del arte la insolucionable avidez del espíritu.

> Agravadas las acedias de la vida, erizados los problemas del vivir, variadas de sentido muchas cosas bajo la luz de los grandes focos de la boba electricidad actual, viene esta manera original del arte a calmarlo todo en el aturdimiento de la diversidad, en la superación de la incongruencia, en la cristalografía de la absurdidad.

> Lo heterogéneo se mezcla, y éste es el mayor triunfo de lo actual, lo que hace romper todos los diques, lo que aleja tanto de lo universitario.

> Lo real visible y descriptivo tenía rebajado al arte porque ya era conocidísimo, y por si eso fuese poco, las películas se lo han apropiado en repetición de realidades archimonstruosa y redundacionante.

> Poesía equivale a evasión, a vuelo hacia el supremo híbrido, a excursión por las llanuras de la agonía lúcida, a primera comunión en el caos, a concierto del rencor a lo sucedido (*Las palabras...* pags. 220-221).

Muchísimos años antes de que Lacan expusiera su teoría del lenguaje según la cual el lenguaje constituye el ser, Ramón escribió el ensayo y la novela a que he aludido. La teoría de Lacan es, en parte, una batalla en

38

contra de la sicología del ego. Su descripción de un ego como un ser alienado hecho de confusiones, tiene mucho que ver con lo que intentó Ramón con su *Hombre perdido* y absolutamente nada que ver con ese agente fuerte y cooperador descrito por la sicología del ego. Ramón, en su teoría y en su praxis, se aleja del sicoanálisis freudiano y se adelanta al análisis laquiano. Razón tuvo Octavio Paz al referirse a Ramón como el más moderno de los escritores españoles.

Esta edición

La presente edición ha sido principalmente seleccionada del libro-homenaje *Total de greguerías* publicado por Aguilar en Madrid el año 1955, para celebrar las "bodas de oro" de Ramón con la literatura. Que yo sepa, con la excepción de la selección hecha por Gaspar Gómez de la Serna para la serie "Textos españoles" de la Biblioteca Anaya, edición agotada y que hoy sustituye la nuestra, ninguna edición anterior de *greguerías* ha sido seleccionada por otra mano que la del autor o la de su esposa Luisa Sofovich.

Nuestra edición no ha continuado el criterio cronológico empleado por Gaspar Gómez de la Serna, aunque hemos creído conveniente añadir un apéndice con *greguerías* seleccionadas por fechas simplemente para efectos de comparación. En general, nuestro criterio ha sido el escoger las *greguerías* que mejor se adhieren a la estética de este "género" tal y como ésta se desprende de las diversas declaraciones hechas por el propio Ramón y por las conclusiones que los críticos han sacado del estudio de su obra. Nuestra introducción ha hecho referencia a estos estudios y ha procurado destacar de entre sus conclusiones las que nos han parecido más útiles para la comprensión de la naturaleza de la *greguería*.

Debo advertir que, con la excepción de algunas *greguerías* incluidas en el "Apéndice histórico" que proceden de la edición del *Diario póstumo* de Gómez de la Serna, el resto proceden de colecciones de *greguerías* o de la publicación de éstas en periódicos como el *ABC*. No hemos hecho ningún esfuerzo por entresacar las *greguerías* que se encuentran dispersas, a veces en cantidades considerables, por sus novelas y ensayos —pienso, por ejemplo, en la "letanía" de *greguerías* sobre la motocicleta en *El incongruente* o las que van dejando caer, a lo largo de ensayos, como en el texto de "Las palabras y lo indecible". Alguna vez habrá que recoger todo este material disperso, ¡obra de romanos!, para una verdadera edición *Total de greguerías.*

Bibliografía selecta

1. EDICIONES DE «GREGUERÍAS»

a) Ediciones comerciales:

Greguerías, Madrid, 1914.

Greguerías, Valencia, Prometeo, 1917.

Greguerías selectas (Prólogo de Rafael Calleja), Madrid, Calleja, 1919.

Las 636 mejores greguerías, (ilustraciones), París-Madrid-Lisboa, Agencia Mundial de Librería, 1927.

Greguerías escogidas (con dibujos de Beberide), París-Madrid-Lisboaa, Agencia Mundial de Librería, S. A. (*c.* 1928). [Nota: Este es un libro doble que contiene, por un lado, la edición de las *Greguerías* anotada arriba y, por otro, la novela de Henri Bordeaux (de la Academia Francesa) *El amor y la dicha,* traducido por Gaspar Gómez de la Mata, ¿un seudónimo de Ramón? El libro lleva en el lomo el título conjunto *II Éxitos.*]

Novísimas greguerías, Madrid, "Gaceta Literaria", Cuaderno núm. 3, 1929.

Greguerías 1935, Madrid, Cruz y Raya, 1935.

Flor de greguerías, Madrid, Espasa-Calpe, 1935.

Greguerías nuevas 1936, Cruz y Raya, núm. 39, Madrid, junio de 1936.

Greguerías, Buenos Aires, Espasa-Calpe Argentina, Colección Austral, 1940 (reimpreso en 1940, 1943, 1945).

43

Greguerías completas, Barcelona, Lauro, 1947.

Greguerías, selección 1940-1952, Buenos Aires, Espa-sa-Calpe Argentina, 5.ª ed. aumentada y revisa-da, 1952.

Total de greguerías (edición homenaje con retrato e ilustraciones), Madrid, Aguilar, 1955 (reimpresa).

Flor de greguerías 1910-1958, Buenos Aires, Losa-da, 1958.

Greguerías, selección 1910-1960, Madrid, Espasa-Calpe, Colección Austral, 1960 (reimpresa nu-merosas veces).

Las terceras de ABC: Ramón Gómez de la Serna, Ma-drid, ed. Prensa Española, 1976.

b) Ediciones especiales:

Greguerías litográficas, Barcelona, Prensa del Con-servatorio de las Artes del Libro, edición de 28 ejemplares numerados, s. a.

Greguerías del mar, Oficina Central Marítima, 1961.

2. ESTUDIOS SOBRE RAMÓN GÓMEZ DE LA SERNA Y LA «GREGUERÍA.

BERGAMIN, José, "El disparate en la literatura española, Nº 4: El disparate en los modernos: Valle-Inclán, Unamuno, Gómez de la Serna", *Disparadero espa-ñol, 3: El alma en un hilo,* México, Séneca, 1940.

BOYD, Ernest, "Ramón Gómez de la Serna", *Studies from ten literatures,* Nueva York-Londres, Charles Scribner's Sons, 1925.

BRENAN, Gerald, *The Literature of the Spanish people,* Nueva York, Meridian Books, 1957.

CALLEJA, Rafael, "Prólogo", *Greguerías selectas,* Ma-drid, 1919.

—"A propósito de *El torero Caracho",* Revista de Occi-dente, XVI (1927), pág. 381.

CANSINOS-ASSENS, Rafael, "Ramón Gómez de la Serna", *La nueva literatura, IV: La evolución de la novela,* Ma-drid, Páez, 1927.

—"Ramón Gómez de la Serna", *Poetas y prosistas del novecientos (España y América),* Madrid, Editorial América, 1919.

CARDONA, Rodolfo, *Ramón: A study of Gómez de la Serna and his works,* Nueva York, Eliseo Torres and Sons, 1957.

CASSOU, Jean, "La signification profonde de Ramón Gómez de la Serna", *Revue Européene,* París, 1928.

—*Panorama de la littérature espagnole contemporaine,* 16.ª édition, París, Kra, 1931.

CERNUDA, Luis, *Estudios sobre poesía española contemporánea,* Madrid-Bogotá, Guadarrama, 1957.

DÍEZ-CANEDO, Enrique, *Conversaciones líterarias,* Madrid, 1921. Reimpreso en *Obras de Enrique Díez-Canedo. Conversaciones Literarias* (Primera Serie: 1915-1920), México, Joaquín Mortiz, 1964.

—*La nueva poesía,* México, Ediciones Encuadernables de *El Nacional,* 1941.

FERNÁNDEZ ALMAGRO, Melchor, "Esquema de la novela española contemporánea", *Clavileño,* núm. 5, 1950, páginas 15-28.

—"La generación unipersonal de Gómez de la Serna", *España,* núm. 392, 1923, págs. 10-11.

—Reseña de *Cartas a las golondrinas, Clavileño,* núm. 10, 1951.

FRANK, Waldo, *Virgin Spain,* Nueva York, Boni and Liveright, 1926.

GASCO CONTELL, Emilio, "Ramón Gómez de la Serna", *Revue de l'Amérique Latine,* XV, 1928.

GÓMEZ DE LA SERNA, Gaspar, *Ramón (Obra y vida),* Madrid, Taurus. 1963.

GONZÁLEZ-GERTH, Miguel, "El mundo extravagante de Ramón Gómez de la Serna", *Ínsula,* núm. 183, 1962, páginas 1-2.

—"Aphoristic and novelistic structures in the work of Ramón Gómez de la Serna", Tesis doctoral, Princeton University, 1973.

GRANJEL, Luis S., *Retrato de Ramón: Vida y obra de Ramón Gómez de la Serna,* Madrid, Guadarrama, 1963.

45

GRANVILLE-BARKER, Helen, "Ramón Gómez de la Serna", *The fortnightly review,* CXXV, 1929, págs. 33-42.

JACKSON, Richard L., "The *Greguería* of Ramón Gómez de la Serna: Antecedents and Originality", *Symposium,* 1967, págs. 293-305.

—The *Greguería* of Ramón Gómez de la Serna. A study of the genesis, composition, and significance of a new literary genre, Ph. D. dissertation, Ohio State University, 1963.

LARBAUD, Valéry, "Ramón Gómez de la Serna et la littérature espagnole contemporaine", *La Revue Hebdomadaire,* XXXII, 1923, págs. 292-301.

—, "Presentation de Ramón Gómez de la Serna", *Echatillons,* París, 1923.

MARICHALAR, Antonio, *Mentira desnuda (hitos),* Madrid, Espasa-Calpe, 1933.

—Reseña de *El alba y otras cosas, Revista de Occidente,* III, 7, 1924, págs. 119-125.

MAZZETTI, Sister M. Albert, "Poetic Biography: A study of the biographical works of Ramón Gómez de la Serna", Ph. D. disertation, Indiana University, 1968.

PÉREZ FERRERO, Miguel, "Retrato de Ramón", *La Estafeta Literaria,* núm. 21, 1945.

—*Vida de Ramón,* Madrid, Cruz y Raya, 1935.

PONCE, Fernando, *Ramón Gómez de la Serna,* Madrid, Unión Editorial, 1968.

PORRAS, Antonio, Reseña de *Flor de greguerías, Revista de Occidente,* XIII, 141, 1935, págs. 346-351.

REYES, Alfonso, "Ramón Gómez de la Serna", en *Simpatías y diferencias,* (Tercera Serie), Madrid, 1922.

—*Simpatías y diferencias* (Quinta Serie), Edición de Antonio Castro Leal, tomo II, México, Porrúa, 1945.

ROJAS PAZ, Pablo, "La greguería y su estética", *Azul: Revista de Ciencias y Letras,* II, 11, 1931, págs. 201-206.

SALAVERRÍA, José María, "Ramón Gómez de la Serna y el vanguardismo", *Nuevos retratos,* Madrid, Renacimiento, 1930.

SALINAS, Pedro, *Literatura española, siglo XX,* México, Séneca, 1941.

—"Ramón Gómez de la Serna", *Columbia dictionary of modern european literature,* Nueva York, Columbia University Press, 1947.

—"Ramón y sus greguerías", *Índice Literario,* IV, 3 (1935), págs. 45-49.

SENABRE SEMPERE, Ricardo, "Sobre la técnica de la greguería", *Papeles de Son Armadans,* XLV, 134 (1967), páginas 121-145.

TORRE, Guillermo de, *Historia de las literaturas de vanguardia,* Madrid, Ediciones Guadarrama, 1965.

—*Literaturas europeas de vanguardia,* Madrid, Rafael Caro Reggio, 1925.

—"Ramón y Picasso: paralelismos y divergencias", *Hispania,* XLV, 4 (1962), págs. 597-611.

VIDELA, Gloria, *El Ultraísmo: Estudios sobre movimientos poéticos de vanguardia en España,* Madrid, Gredos, 1963.

WALDERLIN, Fedor, "Das Geheimnis der 'Greguería': Ein Wort Uber Ramón Gómez de la Serna", *Die Literatur,* XXX (1930); págs. 692-694.

YNDURAIN, Francisco, "Sobre el arte de Ramón", *Revista de ideas estéticas,* XXI (1963), págs. 40.

— Ramón Gómez de la Serna," Columbia dictionary of
modern european literature, Nueva York, Columbia
University Press, 1946.

— Ramón Vinyes, greguerías, Madrid, *Zarzalejos*, N° 4
(1911), pág. 25-26.

— SERRANO PONCELA, Ricardo," Sobre la técnica de la
greguería," Torre, La, San Juan de Puerto Rico, XIV, LIV (1967),
páginas 121-138.

— LOPEZ, Guillermo de," Influencia en la literatura de vac-
guardia," Madrid, Editorial *Guadarrama*, 1965.

— *Diccionario literario de vanguardia*, Madrid, Rafael
Lain Rergo, 1965 (?).

— "Ramón y Pessoa: paralelismos y divergencias," Hi-
pania, XLVI, 3 (1963), pág. 527-534.

— MIDER, Charles. El Quijote... *Estudios contemporaneos,*
— *Rasgos de vanguardia en Ramón, Madrid, Gredos, 1964.*

— MOPDEL, W. Edor," Das Gleichnis der Greguería,"
Zeitschrift für Romanische Philologie de la SerRa, Berlin,
Volume, XXX (1922), pág. 807-834.

— VINDAZABAL, Francisco," Sobre el arte de Ramón," Ver-
bum, Buenos Aires, Revista, XXII (1963), N° 76, pág. 40-42.

Greguerías

Esa cosa que tiene el piano de cola dentro como para tejer mantillas de madroños.

Al cocinero inexperto se le caen los ajos.

¡Qué extraña es la vida! Siempre queda pincel para la goma, pero ya no hay goma.

Templar bien el agua del baño es como preparar un buen té.

El arco del violín cose, como aguja con hilo, notas y almas, almas y notas.

La espina dorsal es el bastón que nos tragamos al nacer.

Cuando la mujer pide ensalada de fruta para dos, perfecciona el pecado original.

❧

«Ídem», buen seudónimo para un plagiario.

❧

El que parte salchichón es un monedero falso.

❧

Los conejos de Indias murmuran en los laboratorios: «¡A que no se atreverían a hacer lo mismo con osos blancos!»

❧

El poeta se alimenta con galletas de luna.

❧

A veces nos preguntamos cómo algún hombre malísimo puede proceder de la santa familia que ocupó el Arca, pero para comprenderlo pensamos que alguien se metió de polizón.

❧

El único fruto pasional que se entreabre ansioso de ver la vida es la granada.

❧

La ametralladora nació del loco deseo que tenía el cazador de meter su cinturón-cartuchera entre gatillo y cañón.

La unidad de fuerza de los motores de aviación no debía ser el caballo, sino el hipogrifo o el clavileño.

❧

La alcachofa es un alimento para ebanistas, carpinteros y tallistas.

❧

Los húsares van vestidos de radiografía.

❧

El tren parece el buscapiés del paisaje.

❧

No se sabrá nunca si la cresta del gallo quiere ser corona o gorro frigio.

❧

Cuando al casorio se le llama himeneo, parece que va a ser boda con rumba final.

❧

La luna de los rascacielos no es la misma luna de los horizontes.

❧

La linterna del acomodador nos deja una mancha de luz en el traje.

❧

Eva nació de una costilla de Adán, pero en seguida devolvió en sus hijos muchas más costillas que la que la habían adelantado.

El fotógrafo nos coloca en la postura más difícil con la pretensión de que salgamos más naturales.

❀

El par de huevos que nos tomamos parece que son gemelos, y no son ni primos terceros.

❀

Los hongos y las setas vienen del mundo de los gnomos.

❀

El Dante iba todos los sábados a la peluquería para que le recortasen la corona de laurel.

❀

Las espigas hacen cosquillas al viento.

❀

La gallina es la única cocinera que sabe hacer con un poco de maíz sin huevo, un huevo sin maíz.

❀

El que se pone la mano en la oreja para oír mejor parece querer cazar la mosca de lo que se dice.

❀

Miércoles: día largo por definición.

❀

Al que se le cae la cerveza encima, es como si hubiese tenido en brazos al Benjamín de la casa.

Pingüino es una palabra atacada por las moscas.

❧

Sólo el poeta tiene reloj de luna.

❧

La luna es como un espejito con que la vecina impertinente y juguetona refleja el sol en los ojos del asomado al balcón.

❧

La mujer es así: las medias no pueden ir arrugadas, pero los guantes largos sí.

❧

El hielo suena en el vaso como el cencerro de cristal de la cabra del *whisky*.

❧

La pala es la primera y la última amiga del hombre, primero en la arena de los juegos infantiles y por fin descansando sobre el último montículo en el cementerio.

❧

Los perros nos enseñan la lengua como si nos hubiesen tomado por el doctor.

❧

El tábano pasa cantándoles el responso a las flores.

❧

Monólogo significa el mono que habla solo.

Los *hay-kais*[1] son telegramas poéticos.

⊗

La T es el martillo del abecedario.

⊗

Cuando el pollo está bien asado es cuando tiene color de violín.

⊗

Las chispas son estornudos de Satanás.

⊗

El anfitrión parece ser un señor que toca un instrumento musical.

⊗

Lo más importante de la vida es no haber muerto.

⊗

Hay más millones de microbios en un billete de Banco que los millones que el Banco dice tener de capital.

⊗

Debía de haber unos gemelos de oler para percibir el perfume de los jardines lejanos.

⊗

La magia se ha perdido. ¡Ya hay zapatos de cristal para todos los pies!

---

[1] *Hay-kais* o, más correctamente, *hai-ku,* poema lírico japonés de 17 sílabas. Frecuentemente consiste en una observación de algún aspecto de la Naturaleza que emociona al poeta.

Los halcones son los perros de caza para el cielo.

Los académicos debieran tener derecho a usar en las sesiones gorros de dormir.

El Cid se hacía un nudo en la barba para acordarse de los que tenía que matar.

La plancha eléctrica parece servir café a las camisas.

En la veleta, el viento monta en bicicleta.

El cocodrilo es una maleta que viaja por su cuenta.

El orador es un instrumento de viento que toca solo.

Los perros buscan afanosamente al dueño que tuvieron en otra encarnación.

La luna necesita gatos, pero no puede hacer que llegue a ella ninguno.

Las ranas están siempre en pleno concurso de natación.

El sábado inglés es un injerto de domingo y lunes.

El demonio no es más que el mono más listo de los monos.

El camello está siempre apolillado.

La luna es un Banco de metáforas arruinado.

En los museos de reproducciones escultóricas es donde los papás oyen a los niños las cosas más insólitas:
—¡Papá, a mí no me ha salido aún la hoja!

El cocodrilo es un zapato desclavado.

La oruga del dentífrico.

—Tráigame una botella de agua con agujeritos.

—¡Ah! —dijo el mozo—. Ya sé... De ese agua con calambre que sabe a pie dormido.

❈

La luna es el ojo de buey del barco de la noche.

❈

Toda la joyería se ha ruborizado. ¡La ha mirado un comunista!

❈

Las máquinas fotográficas quisieran ser acordeones, y los acordeones, máquinas fotográficas.

❈

La luna y la arena se aman con frenesí.

❈

La verdosa langosta se pone roja de cólera cuando la hierven.

❈

No gozamos bien el canto del ruiseñor, porque siempre dudamos de que sea el ruiseñor.

❈

El que transporta el violón se parece a la hormiga cuando carga una brizna demasiado grande.

❈

En el acordeón se exprimen limones musicales.

Diccionario quiere decir millonario en palabras.

❦

El mar se está queriendo hacer tirabuzones y nunca lo consigue.

❦

El ananá es una fruta disfrazada de piel roja.

❦

Nostalgia: neuralgia de los recuerdos.

❦

La niebla acaba en andrajos.

❦

El pavo real es un mito jubilado.

❦

La golondrina se encoge de hombros en medio de su vuelo.

❦

Camoens y Cervantes son como dos compañeros de asilo, el uno tuerto y el otro manco.

❦

El verano está lleno de siseos anónimos.

❦

La sonámbula parece llevar en el paréntesis de sus manos extendidas la medida de algo, quizá de su sudario.

La A es la tienda de campaña del alfabeto.

❦

«Pan» es palabra tan breve para que podamos pedirlo con urgencia.

❦

Era tan cumplido que a veces saludaba a los árboles.

❦

Dos en un auto: idilio. Tres: adulterio. Cuatro: secuestro. Cinco: crimen. Seis: tiroteo con la Policía.

Acabo de saber lo que es una botella de champaña: un cañón antiaéreo.

❦

La arquitectura de la nieve es siempre de estilo gótico.

❦

Todas las comas de sus reales decretos las lleva colgadas el rey de su manto de armiño.

El Nilo es el río de más hermosa y desmelenada cabellera.

⊗

No debe regalarse el cochecito del primer niño.

⊗

¡Qué dura le ha salido la barba al erizo!

⊗

Si las miniaturas fuesen comestibles, serían exquisitas.

⊗

El grillo mide las pulsaciones de la noche.

⊗

Los plátanos envejecen en un solo día.

⊗

Hipocondríaco, no sé por qué, me parece algo así como la mezcla disparatada de hipopótamo y cocodrilo.

⊗

La luna en la solapa de la noche es la condecoración circulante.

⊗

A las palmeras viejas las sale en los troncos la pelambre de la vejez.

De la pipa, y también de los cigarrillos, saltan pulgas de fuego con mala picadura.

❦

El trueno es un tambor mayor sin oído.

❦

El pitido del tren sólo sirve para sembrar de melancolía los campos.

❦

El ciclista es un vampiro de la velocidad.

❦

Lo malo del helicóptero es que siempre parece un juguete.

❦

Los lagos son los charcos que quedaron del Diluvio.

❦

Definición amanerada: la cucaracha es un traslaticio lunar de la noche.

❦

El granizo arroja su arroz festejando la boda del estío.

❦

Las olas esculpen en las rocas calaveras de gigantes.

Las Venus marmóreas de los museos presentan manchas de pellizcos.

Si el espejo corriese de pronto su cortina de azogue, veríamos nuestra radiografía.

Al oír la noticia se desmayó el sofá.

El hielo se derrite porque llora de frío.

El reloj es una bomba de tiempo, de más o menos tiempo.

El beso es una nada entre paréntesis.

Como psicoanalistas descubrimos que esa que se ha hecho un traje con tantos botones es que quiere ser piano.

En las playas, nuestros zapatos se convierten en relojes de arena.

Donde es más feliz el agua es en los cangilones de la noria.

❀

Queremos ser de piedra y somos de gelatina.

❀

Lo que más les molesta a las estatuas de mármol es que tienen siempre los pies fríos.

❀

Don Juan pide amor como quien pide trabajo.

Hay unas vallas que los niños creen que están hechas con grandes lápices.

❀

El sueño es un depósito de objetos extraviados.

❀

El peine es pentagrama de ideas muertas.

❀

En los gallineros hay nevada de plumas.

65

La arquitectura árabe es el agrandamiento del ojo de la cerradura.

❦

El murciélalgo se ve que ha salido de la caja de prestidigitación del diablo.

❦

De los juncos nació el flamenco.

❦

La luna es la lavandera de la noche.

❦

Los crisantemos son unas flores del fondo del mar que prefirieron vivir sobre la tierra.

❦

El sol es la panacea universal: nos hace vivir a nosotros, pero también a los microbios.

La luna es el ojo de cristal del cielo.

⊗

La ruleta es un juguete infantil que pone trágicos a los hombres.

⊗

El elefante que anuncia el circo en los pueblos está hecho con todos los artistas de la compañía.

⊗

La chicharra es el timbre despertador de la siesta.

⊗

El alma sale del cuerpo como si fuese la camisa interior a la que le llegó el día del lavado.

⊗

Los cuernos del toro buscan un torero desde el principio del mundo.

⊗

Cuando al teléfono le suenan los oídos da esa comunicación que «no era nadie».

⊗

Ese que habla del cosmos parece que habla de un gran bazar.

⊗

La yegua junto al caballito de unos meses es la tentación de los fotógrafos.

El que usa bigote recortado como cepillo de dientes es un profiláctico.

✧

El poeta miraba tanto al cielo que le salió una nube en un ojo.

✧

La lógica es el pulverizador de la razón.

✧

El buen escritor no sabe nunca si sabe escribir.

✧

La herencia es un regalo por el que hay que dar mucha propina.

✧

No hay forestas vírgenes, porque precisamente por las forestas vírgenes es por donde más corren los sátiros.

✧

El peor atavismo que tenemos es el atavismo de morir.

✧

A la civilización le falta inventar las gaviotas mensajeras.

✧

Hay melones que parecen quesos, pero son melones.

Hay quienes se suenan de tal modo, que esperamos que se quiten el pañuelo de la cara para ver si tienen la nariz de cuerno de los rinocerontes.

❧

El que está en Venecia es el engañado que cree estar en Venecia. El que sueña con Venecia es el que está en Venecia.

❧

Estaba tan loco que el sastre le preguntó, al hacerle el chaleco, si se lo hacía con mangas largas.

❧

El día en que la luna se compre un automóvil, la noche será mucho más breve.

❧

Cuando cae una estrella parece que se le ha corrido un punto a la media del cielo.

❧

Comió tanto arroz que aprendió a hablar el chino.

❧

La mujer que se muestra insinuante con el hombre mientras fuma engaña al cigarrillo con el hombre y al hombre con el cigarrillo.

❧

Gloria: nombre de la mujer del genio.

Cuando la flor pierde el primer pétalo, ¡ya está perdida por entero!

❈

El lirio no llega a la orquídea porque no sabe peinarse.

❈

El calamar es el tintorero para los lutos de los peces.

❈

El anillo que ponen a la paloma mensajera debiera ser reloj pulsera para que cumpliese puntualmente su mensaje.

❈

El humo sube al cielo cuando debía bajar al infierno.

❈

El náufrago sale convertido en un mendigo al que regalaron un traje que le viene grande.

Existen unas cabezas cuya conformación se debe a que cayó sobre ellas una columna.

❈

Las únicas que saben de arquitectura comparada son las golondrinas.

❈

El búho es un espantapájaros que se come los pájaros.

El reloj que atrasa es un reloj ahorrativo.

Poner notas a los libros es un atrevimiento, como lo sería el retocar los cuadros de una exposición.

Lo mejor del cielo es que no puede inundarse de hormigas.

El arroyo trae al valle las murmuraciones de las montañas.

Lo irracional es así: el animal que se mira en un espejo cree que es un amigo o una amiga, nunca él mismo.

La mano del ladrón es un manojo de ganzúas con uñas.

El campesino que lleva un conejo colgando de la mano lo lleva con la elegancia con que un inglés lleva un paraguas.

Era uno de esos días en que el viento quiere hablar.

Los bancos públicos son los pentagramas de las iniciales del Amor.

Lo peor de la ambición es que no sabe bien lo que quiere.

⊗

El camello tiene la nuez en la joroba.

⊗

El león en su jaula parece vivir de renta.

⊗

Había tanta gente esperando el tranvía, que parecía la inauguración del primer tren.

⊗

Cuando el cocinero hace mucha espuma al batir, le crece el gorro.

⊗

El ballenero lanza la aguja enhebrada del arpón y cose la ballena al barco.

⊗

La ardilla limpia con el plumero de su cola el sitio en que se sienta.

⊗

La golondrina llega de tan lejos porque es flecha y arco al mismo tiempo.

⊗

El sueño es un pequeño adelanto que nos hace la muerte para que nos sea más fácil pasar la vida.

El cráneo es la bóveda alta del corazón.

❦

El cacahuete tiene algo atravesado en la garganta.

❦

Aparece lo práctico en la civilización cuando se inventa la herradura.

❦

En el otro mundo se debe de respirar mejor. Respiraremos sin pulmones a pleno aire.

El micrófono es ya don Micrófono, un personaje de americana y cuya aureola son las ondas reveladoras del ser milagroso.

❦

Los sillones de mimbre son los esqueletos de los sillones tapizados.

❦

La ópera es la verdad de la mentira, y el cine es la mentira de la verdad.

En el lavabo del vagón nos lavamos del negro crimen del viaje.

⊗

Las gallinas blancas están en paños menores.

⊗

Los murciélagos nos pasan de parte a parte como balas perdidas.

⊗

Los que se desperezan son como salvajes que disparan su flecha al aire.

⊗

Cuando más admiro la paternidad es cuando veo salir al niño con las mismas largas narices del padre.

⊗

Hay un momento en que el astrónomo debajo del gran telescopio se convierte en microbio del microscopio de la luna, que se asoma a observarle.

⊗

Ese que lleva el paraguas abierto cuando ya no llueve parece un paracaidista caído del nido.

⊗

La S es el anzuelo del abecedario.

⊗

Lo único que comen las puertas son esas nueces que les damos a partir.

74

Cuando el cisne sumerge en el agua cabeza y cuello, es como la mano de un brazo femenino que busca en el fondo del baño una sortija.

⊗

Bajo la sombra de ese árbol que hay en medio de la llanura están en cuclillas y de tertulia todas las ideas del paisaje.

⊗

Es difícil imaginar que una monda calavera sea una calavera de mujer.

⊗

Las cenizas de cigarro que quedan entre las páginas de los libros viejos son la mejor imagen de lo que quedó en ellos de la vida del que los leyó.

⊗

Aquella noche era la luna como la coronilla del obispo de la noche.

⊗

El ruido de los pies descalzos de una mujer sobre los baldosines da una fiebre sensual y cruel.

⊗

La golondrina es una flecha mística en busca de un corazón.

⊗

El cepillo es un milpiés que se escapa siempre del sitio en que debía estar.

Cómo dicen ¡adiós! y cómo están hechas para decir ¡adiós! las mangas largas de los *pierrots*.

❈

El saltamontes es una espiga escapada que ha comenzado a dar brincos descomedidos.

❈

El *whisky* es el árnica del estómago.

❈

Hay pensamientos pacificadores, como éste: «El sexo daría interés a un peñasco.»

❈

Cuando en la mesa solemne nos encontramos en el plato la tarjeta con nuestro nombre, pensamos que ya podían habernos hecho un ciento.

❈

Los papeles que se tiran arrugados en el fondo del cesto se desarrugan como con vida propia y submarina.

❈

El gesto de sacarse el pañuelo del faldón del frac es un gesto indecente e ignominioso.

❈

Mete tanto ruido una cucharilla al caer porque es el niño de los cubiertos el que se ha caído.

Hay cielos sucios en que parecen haberse limpiado los pinceles de todos los acuarelistas del mundo.

❦

El mono parece proceder del coco peludo como si hubiese salido de su huevo.

❦

La jirafa es un caballo alargado por la curiosidad.

❦

El más pequeño ferrocarril del mundo es la oruga.

❦

Cuando baja una mujer por una escalera de caracol parece haber sido despedida del Paraíso.

❦

¡Cómo rompe los calcetines lo que tenemos de monos irremisibles!

❦

La niña con el aro en la mano va al jardín como al colegio, a jugar con la circunferencia y la tangente.

❦

Tengo suprimido el paréntesis de (q. e. p. d.) porque no hay nada que ponga más nerviosos a los muertos.

❦

Los tornillos son los gusanos de hierro.

No me gustan esas sillas de tubo metálico que parecen arrodilladas.

En las tormentas hay truenos sin rayos porque su rayo se ha traspapelado, y por lo mismo hay rayos con olvido de su trueno correspondiente.

A veces el abrelibros no marcha porque ha tropezado con el nudo de la novela.

Los sellos son el tafetán de las cartas.

Las gaviotas nacieron de los pañuelos que dicen ¡adiós! en los puertos.

Uno de los contrastes más graciosos de los espectáculos modernos es cuando en el boxeo el hombre pequeño en mangas de camisa y con corbata ayuda a levantar el brazo al atleta triunfador. ¡Qué trabajo le cuesta!

Los ceros son los huevos de los que salieron las demás cifras.

Es conmovedor en las óperas ver que cuando lloriquea la que canta, todo el coro la consuela.

Las básculas marcan las doce en punto.

El mar se pasa la vida duchando a la tierra para ver de hacerla entrar en razón.

Las plumas estilográficas son desobedientes como niños que no saben o no quieren escribir.

El rayo es una especie de sacacorchos encolerizado.

❂

—¿Oyes ese olor?—dijo ella en el jardín.

❂

El que toma el refresco con dos pajas parece que toca la doble flauta de Pan.

❂

Botella: sarcófago del vino.

❂

Los corsés musicales de la pianola.

❂

¿Y si las hormigas fuesen los marcianos establecidos en la Tierra?

❂

Hacer símiles parece cosa de simios.

❂

Cuando se ve la calavera de un buey en el campo se piensa que la muerte ha andado jugando al toro por allí.

❂

La escoba nueva no quiere barrer.

❂

La melancolía de los ríos de América es que son tan grandes que no pueden tener puentes.

¿Qué es la ilusión? Un suspiro de la fantasía.

❀

El agua de Colonia es el *whisky* para la ropa.

❀

Lo más bonito del cristal es cuando se rompe en forma de telaraña.

❀

En la rotativa que gira y gira en la noche del diario, es el mundo el que da vueltas y deja en el papel sus huellas, como el rostro del Redentor en el paño de la Verónica.

❀

En el coche comedor del tren nos comemos el paisaje, pero a veces se nos atraganta.

❀

A veces pensamos si la gran equivocación de la vida es creer que la cabeza se ha hecho para pensar.

❀

El murciélago es un pájaro policía.

❀

Las gallinas se sitúan en los palos del gallinero como si fuesen a ver una representación del Don Juan protagonizado por el gallo.

❀

Las vacas aprenden geografía mirándose unas a otras sus manchas blancas y negras.

No hay que suicidarse, porque merece la pena vivir aunque no sea más que para ver revolotear las moscas.

El que afila un cuchillo con otro en la comida del restaurante es como si se desafiase consigo mismo.

El tranvía aprovecha las curvas para llorar.

En los cines, los calvos parecen ver mejor la película, como si se reflejase en su calva y en sus ojos.

El viaje en subterráneo nos convierte en ratas.

La luna inventa unas casas que no son más que espejismos de su imaginación, unas casas tan gratuitas que no existen.

El durazno guarda dentro su gran hueso para apedrear a los que le quieran arrancar del árbol, pero después no sabe defenderse.

Hay unas noches acústicas del verano en que se oyen tanto los trenes, sus traspiés y sus traqueteos, que se convierte uno en jefe de estación.

La transfusión es como llenar la estilográfica.

❦

Hay una tos con ruedas dentadas.

❦

¿Los sueños son nuevos, o los tenemos de muy antiguo?

❦

La vida tiene miedo a morir, precisamente por miedo a morir.

❦

Al amanecer, el alba echa diez céntimos en la jaula del pájaro y comienza su trino.

❦

Las focas son bañistas empedernidas, sentenciadas a ser bañistas en invierno y en verano.

❦

Cuando la bella mano femenina nos ofrece azúcar y su dueña nos pregunta: «¿Dos o tres?», nosotros contestaríamos: «¡Los cinco!»

❦

Hay que inventar un sillón de brazos mecánicos que hagan cosquillas al hombre serio, ¡para ver si así se sonríe al fin!

❦

El queso Roquefort tiene gangrena.

El que come pescado con muchas espinas, come deletreando.

⊗

Venecia es el sitio en que navegan los violones.

⊗

Cuando encontramos un gusano en la fruta lo guillotinamos de tal manera que un día se vengará.

⊗

Cuando el niño se empeña en que reconozcamos el tamaño de su chichón parece que nos presenta orgullosamente el brote del genio.

⊗

Los recuerdos encogen como las camisetas.

⊗

Suerte excepcional es la de esa columna que ha quedado en pie en medio de la ruina de los siglos.

⊗

En el rebuzno, el burro se suena sin pañuelo.

⊗

Los cigarros son los dedos del tiempo que se convierten en ceniza.

84

Las parejas de cisnes parecen que señalan siempre una misma cifra, el 22; pero a veces, cuando uno de ellos está entrado en el agua y el otro está en pie, a la orilla, señalan el 24.

La timidez es como un traje mal hecho.

Cuando la mujer mira al trasluz sus medias se produce el eclipse del mundo.

Los armarios de luna son como confesionarios, que saben todos los calcetines zurcidos que tenemos.

Después de haber abierto un libro con el abrepapeles, nos sentimos como barberos que acaban de afeitar a un cliente.

El canario hace filaturas de filigrana con el espacio y el tiempo.

No es elegante sacarse pelusa de los bolsillos en una visita.

❦

Los que van al cine se alimentan de fantasmas pasados por la luz.

❦

El camello lleva a cuestas el horizonte y su montañita.

❦

La gaita es una especie de bota de vino musical.

❦

«Agonía»: palabra muy corta que a veces es muy larga.

❦

Las moscas hacen el gesto de estarse lavando las manos sin cesar, como diciendo: «¡Nosotras no tenemos la culpa si somos contagiosas!»

❦

«¡Ojalá!» es la palabra más moral del diccionario. El ojo de Alá se proyecta en ella sobre el deseado porvenir.

❦

El sostén es el antifaz de los senos.

❦

Los ojos chinos son como son porque tienen sueño de siglos. Cuando pasen por nuestra raza tantos siglos como por la raza china, nuestros ojos serán oblicuos y entornados.

El reflejo de la luna en el lago es como el teclado de luz de un gran piano de agua.

❈

Lo que pone más rabiosa a la ballena es que la llamen cetáceo.

❈

El acto más bello de la playa es ver cómo se quita las medias de arena la mujer bonita.

❈

Disparaba su encendedor como quien se suicida elegantemente.

❈

Los mejillones son las almejas de luto.

❈

La lira está hecha con los cuernos del poeta.

❈

El cerebro es un paquete de ideas arrugadas que llevamos en la cabeza.

❈

El cielo estrellado de la noche había sacado brillo a sus sortijas frotándolas contra su frac azul.

❈

Esponjas: calaveras de las olas.

El gallo canta en una lengua muy anterior al sánscrito, la primitiva lengua en que le enseñaron a cantar.

El toro muerto en la arena de la plaza parece una bicicleta caída.

Los cangrejos son manos de pianistas torpes tocando barcarolas.

El ascensor llama en todas las puertas por las que pasa, pero sólo una le hace caso.

El último orgullo de la gallina desplumada es parecer un cisne, por como se alarga el cuello con la muerte.

La coliflor es un cerebro vegetal que nos comemos.

Da pena ver a ese pobre libro apretado entre formidables topes. ¡Qué pesado debe de ser para que dos elefantes hagan ese terrible esfuerzo para sostenerlo!

La media luna mete la noche entre paréntesis.

El que tartamudea habla con máquina de escribir.

Las mujeres son doblemente Judas cuando se son traidoras entre ellas, porque dan un beso en cada mejilla a la víctima.

Cuando en la guerra oímos hablar de divisiones, se nos presentan los soldados en forma de esa operación aritmética, y el cociente final depende de cómo fueron divididas las divisiones. ¡Atroz cuando no dan sino 0000!

El panegírico parece alimenticio, pero no lo es.

Noticia de Pensilvania: un caballo de carreras se casó con una señorita.

El mono siempre está cejijunto.

Hay también otros fenómenos que se podrían llamar correspondientes, y entre ellos está el que sucede con el pantalón cuando el hombre gordo se ata un zapato.

El aparato distribuidor de gasolina parece que despacha en los caminos aguardiente para la embriaguez de la velocidad.

❖

El mono tiene cara de criado del hombre.

❖

La turista es una mujer que sabe sentarse en una butaca del *hall* del hotel y quedarse mirando el reloj tres o cuatro horas.

❖

En los escaparates de las mueblerías hay tes a los que se han olvidado de asistir todos los invitados, y hasta la misma dueña de casa.

❖

La ansiosa se da el *rouge* como si fuese una barra de chocolate.

❖

Dante o el arbusto de laurel.

❖

La luna de verano reparte gazpacho.

❖

La nieve dota de papel de escribir a todo el paisaje.

❖

El murciélago pretende tijeretear la luna.

Constantemente aparecen en las cajas de cerillas, cerillas gemelas y hasta tríos de ellas, unidas por la misma cabeza... Es una pequeña estafa que se comete con nosotros, haciéndonos gastar dos cerillas o tres, cuando con una hubiera sido suficiente, además de que así se vengan las cerillas y, solidarizadas, nos llegan a quemar las yemas de los dedos.

Los cocodrilos son baúles del tiempo de los Faraones.

En los sueños aparecen amigos de nuestros amigos que no son nuestros amigos.

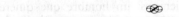

Temblor de cristales: escalofrío de la casa.

Nuestra sombra es la caja de violín de nuestra figura.

En la Edad Media había dentistas de almenas.

El sapo se sabe tan feo que sólo sale de noche.

En la campana hablan el cielo y el abismo.

⊗

El tiempo no corre más gracias a las tortugas.

⊗

Le mordió una gárgola y murió en el acto.

⊗

El día en que el arco iris se ponga de luto será el día del Juicio final.

⊗

El árbol tiene venas y circulación, pero no tiene corazón, ¡por eso vive tanto!

⊗

Al cine hay que ir bien peinado, sobre todo por detrás.

⊗

Cine de todos los tiempos: un hombre que quiere montar una vaca, y la vaca que no quiere ser caballo de ninguna manera.

⊗

El que recomienda a su especialista al amigo que «tiene lo mismo», aspira a que le sustituya y le releve en su enfermedad.

⊗

Desde que el hombre viaja en subterráneo teme menos a la muerte, como si se hubiese familiarizado con los gusanos.

—No tengo más que dos combinaciones.
—No debías tener ninguna.

⊗

Los leones de bronce son tanto leones como cañones.

⊗

La isla tropical es una luna que se baña.

El costillar colgado es uno de los elementos más decorativos de la carnicería; es como un cuadro de museo que se ha escapado del museo y que se van a comer, kilo a kilo, los críticos del arte.

⊗

La mayor ingenuidad del novel círculo literario es el nombramiento de tesorero.

⊗

Cuando se dice «asteriscos» parece hablarse de diminutos pedazos de estrella.

⊗

El teléfono es el despertador de los despiertos.

El té es una especie de tabaco para pasarlo por agua.

❦

El corazón no puede ser sordo, porque los teléfonos de las arterias le comunican lo que va sucediendo en la vida.

❦

A los pintores les preocupa mucho el poner la pinta blanca que hace que los ojos miren con amistad o con enemistad.

❦

En el fondo de la guitarra debía haber cigarros, monedas y otras sorpresas.

❦

Al oír que dice el bruto: «Yo solo me he hecho a mí mismo», pensamos en lo mal escultor que ha sido.

❦

Aquel auto era tan perfecto, que tenía una cámara fotográfica en el radiador para fotografiar sus atropellos.

❦

En el algodón retoña la barba blanca de la experiencia de la tierra.

❦

Siempre se ganan las guerras por el arma nueva que se emplea en ellas... El primer ejército que tuvo tambores tuvo una victoria.

Los peces pasan en fila de turistas.

⊗

El sultán tiene un turbante contra el dolor de cabeza.

⊗

En la Guía de teléfonos está el nombre del Mecenas posible. ¡Pero cualquiera lo encuentra!

⊗

Cuando hemos sentenciado a muerte a la mosca, parece que se da cuenta y desaparece.

⊗

Al mirar al cielo de la noche piensa el pobre: «¡Cuántas estrellas y qué poco dinero!»

⊗

La luna es un espejo en que no nos alcanzamos a ver por cortos de vista.

⊗

¿Ha pensado alguien en una película en esperanto? ¡Sería *esperantosa*!

⊗

¡Con qué rapidez logran hacerse las maletas del *film*!

⊗

En los grandes trasatlánticos superdotados y superproducidos sale *whisky* por el grifo del baño.

La mosca del fuego es la que provoca el incendio.

La máquina de coser es el aparato cinematográfico de las sábanas blancas.

Las camisetas encogen como si nos volviesen a la infancia.

Los anuncios que se encienden letra a letra nos convierten en niños que deletrean.

Los tahoneros son los payasos de la madrugada.

El mundo estará definitivamente viejo cuando las hormigas negras se vuelvan hormigas blancas.

Hay ventiladores que se sienten obispos y no hacen más que dar bendiciones a su alrededor.

La muchacha que lleva la pelota del niño en la red parece que pasea un pequeño montgolfier.

La larga cola de la novia es la vereda que conduce hasta ella al novio desorientado.

Las únicas hojas que no mueren en los árboles de invierno son los pájaros.

¡Qué tragedia! Envejecían sus manos y no envejecían sus sortijas.

Las nubes de la tarde acuden al ocaso para empapar su sangre y caer como algodones usados en el cubo del otro hemisferio.

La tormenta comienza con un gran portazo conyugal, como si la diosa se hubiese marchado violentamente, dejando al dios encolerizado.

El león tiene altavoz propio.

Hay unas nubes largas y finas que son como costillas del cielo.

La oreja humana interroga siempre, porque, si bien se observa, tiene forma y dibujo de interrogación.

Cuando se desfonda un bolsillo comienza la peritonitis del traje.

97

«Admón. de Loterías» es un nombre bíblico más que una abreviatura.

❦

El pianista se calienta los pies en los pedales.

❦

Los osos blancos tienen el hocico negro para que así no se pierdan y se les distinga en medio de la nieve.

❦

La i es el dedo meñique del alfabeto.

❦

Los negros tienen voz de túnel.

❦

¡Qué fácil es que el adulto pase a ser adúltero!

❦

Hay suspiros que comunican la vida con la muerte.

❦

En el piano de cola la música levanta su ala negra y nocturna de ángel caído queriendo ascender al cielo de nuevo.

❦

El ser más importante del contraespionaje es el descifrador de papeles secantes.

❦

Lo que más le encanta al turista es afeitarse en distintos lugares del mundo con sus viejos bártulos de afeitar.

La mujer que después de la riña cierra su puerta por dentro no temáis que se suicide. Se está probando un sombrero.

❦

El azúcar de cuadradillo sirve para que sepa el niño cuándo es día de visita.

❦

El alba en el tren es grave como una operación.

❦

La sopa es el baño del apetito.

❦

Las momias fueron fajadas como recién nacidas de la muerte.

❦

La guillotina fue la máquina de afeitar que inventó la Revolución francesa.

❦

Cuando funciona el aspirador eléctrico del vecino de arriba nos absorbe todas las ideas que teníamos.

❦

La escalera en medio de la habitación es la letra capitular de la casa.

❦

La radiografía nos descubre el corsé interior.

Era tan flaco aquel lenguado, que parecía la cuenta anticipada en bandeja de plata.

Nunca es tarde si la sopa es buena.

«Los broches de sus medias la sostenían como las pinzas sostienen los periódicos galantes en el pentagrama de los quioscos», o bien se puede decir: «Los broches del corsé sostenían las revistas ilustradas de sus medias.»

Eva fue la esposa de Adán, y, además, su cuñada y su suegra.

Los pensamientos amarillos tienen celos de los pensamientos morados.

Todavía no saben que no oímos mientras nos lavamos, que somos una especie de sordos mientras dura el chapuceo.

El pantopón[2] es el tapón de los dolores.

La idiosincrasia es una enfermedad sin especialista.

La última nota rasgada del tango es su rúbrica.

---

[2] Pantopón, nombre de un analgésico.

Al rinoceronte le han salido colmillos por donde no debían haberle salido.

La pesadilla del pianista consiste en soñar con un piano de teclado kilométrico.

Mujer que pierde los dedales, mujer impropia para formar un hogar.

Al ver la cabeza de San Juan en la bandeja pensamos que al ir a afeitarle le degollaron.

Ya sabemos que la chuleta tiene hueso; pero, sin embargo, siempre nos irritará el hueso de la chuleta.

Los guantes adquieren manías y posturas propias, y en la soledad hacen gestos de los que han visto hacer a sus dueños.

Prefiero las máquinas de escribir usadas porque ya tienen experiencia y ortografía.

En los pianos de cola es donde duerme acostada el arpa.

∞

El tenedor es el peine de los tallarines.

∞

Nadie como el padre sabe extender la manteca en el pan de los hijos.

∞

Comer en una Embajada es comer protocolo con salsa tártara.

∞

Las criadas se exceden en el esmero de encerar los pisos para ver si así resbalan y se matan sus señores.

∞

El mosquitero es el hada de los sueños.

∞

Uno de los espectáculos más bonitos de la Naturaleza es ver cómo la luna se traga un murciélago.

∞

El huevo frito es una ola en miniatura; una ola con yema.

∞

El papel celofán lo inventó la serpiente, que lo emplea en sus camisas desde su presentación en el Paraíso.

En la Vía Láctea se agolpa el polvo fulgurante que levantaron en su camino las carrozas siderales de los grandes mitos.

❧

El espejo de afeitar es fríamente maligno, porque no está deseando más que ver si nos cortamos.

❧

Las tijeras quisieran formar un ejército de tijeras.

❧

Los eucaliptos siempre tienen la camiseta desgarrada.

❧

Lo peor que hace el arte, lo que es un ejemplo de antiarte, es pintar paisajes en el parche del tambor del *jazz*.

❧

El orgullo del sapo es atroz, porque dedica su concierto a las estrellas.

❧

La muleta del toreo es el telón del teatro guiñol de la muerte.

❧

El péndulo del reloj acuna las horas.

❧

Lo más suntuoso de los grandes hoteles es que nos ponen cinco toallas cada cinco minutos.

La pantalla cinematográfica está orlada de negro porque es una esquela de defunción de lo que va sucediendo en ella.

❈

Los faisanes debían llevar la cola a los pavos reales.

❈

Los chalecos tienen cuatro bolsillos para hacernos concebir vanas esperanzas.

❈

Un tumulto es un bulto que les sale a las multitudes.

❈

Las sillas de las antesalas y de los recibimientos siempre están «esperando contestación».

❈

A los que llevan un pedazo de papel de goma pegado en la cara debían echarlos al correo.

❈

El automóvil empolvado parece haber salido de las bodegas de la velocidad.

❈

Después de comer alcachofas, el agua tiene un sabor azul.

❈

Termos: bala pacífica para los desayunos.

Los sordos ven doble.

En el Polo Norte está el gorro de dormir de la Tierra.

Las llaves de los hoteles condecoradas con una medalla son como primeros premios en el concurso de abrir puertas.

Nos asomamos a los cochecitos de los niños con la maligna intención de ver o unos gemelos o unos trillizos.

El joyero piensa mientras duerme: «¡Bah! La perla del alba es tan grande, que no tiene valor comercial.»

En los hilos del telégrafo quedan, cuando llueve, unas lágrimas que ponen tristes los telegramas.

Al sentarnos al borde de la cama, somos presidiarios reflexionando en su condena.

Sólo hay un olor que puede competir con el olor a tormenta: el olor a madera de lápiz.

El disco es la ondulación permanente de la música.

Sube la bandera al mástil como si fuese el acróbata más ágil del mundo.

❈

Las estrellas trabajan con red. Por eso no se cae ninguna sobre nuestra cabeza.

❈

La vida es decirse ¡adiós! en un espejo.

❈

En el fondo de los pozos suenan los discos de la luna.

❈

Hay el farol espía. Se lee un papel bajo su luz y en seguida va con el cuento a la Policía.

❈

La lenteja con bicho es el más minúsculo reloj de cuco.

❈

El banjo nació de una raqueta y una mandolina.

❈

Amo las estrellas de mar porque aún no se han hecho latas de sardinas de estrellas de mar.

❈

Los aviones, al caer, tienen el gesto consolador de estrellarse con los brazos en +.

❈

Una máquina de escribir silenciosa es una máquina en zapatillas.

La estatua ecuestre no es buena si el caballo no le da una coz al que lee el discurso.

El que bebe en taza, hay un momento en que sufre eclipse de taza.

El caer una bandeja en el suelo nos sobresalta, como si hubiese sonado el *gong* de la mala suerte.

—¿Por qué cuando vamos a pedir los gemelos de teatro al compañero de palco es cuando él se los lleva a los ojos?
—Porque ha visto la misma mujer.

Domingo: perro corriendo detrás de una piedra lanzada.

Las estrellas telegrafían temblores.

Hay cajas de fósforos idiotas y otras que no lo son tanto.

Primero nació Eva de una costilla de Adán, pero en seguida devolvió en sus hijos muchas más costillas que la que la habían adelantado.

❧

El español es un alma en pena.

❧

La lectura mejor para los viajes en el subterráneo son *Las memorias de ultratumba*[3].

❧

Las lágrimas que se vierten en las despedidas de barco son más saladas que las otras.

❧

Al poner papel carbón, entre papel y papel, se prepara la carta y su falsificación.

❧

Era tan pulcro aquel verdugo, que desinfectaba la guillotina antes de cortar la cabeza a la víctima.

❧

La Historia está escrita en un papel deleznable que se comen las ratas.

❧

La luna de Benarés aparece en nuestros cielos de noches muy azules, y se nota que es la de Benarés porque lleva turbante.

❧

Lo que le da más horror a la luna es el bostezo del cocodrilo.

---

[3] Título de una obra de Francois René Chateaubriand *(Mémoires d'outre-tombe,* 12 tomos, 1849-50), llamada así por haber sido publicada póstumamente.

Echaba el terrón con un gesto tan importante, que parecía echar una perla en el té.

Adagio[4] es un consejo triste.

El pavo real barre el jardín con plumas de oro.

El que tiene la sed desesperada del *whisky* aprende a servírselo sin que se note.

Los globos de los niños van por la calle muertos de miedo.

Aquella mañana los pájaros cantaban al revés.

¡Qué gesto como de acordarse de alguien, de no se sabe quién, pone el que saborea una copa de licor!

Me gusta ver las grandes orquestas de violines, porque la oblicuidad movida de los muchos arcos simula una especie de lluvia musical.

Era tan fresco aquel tipo, que cobraba un seguro de maternidad.

---

[4] Juego con el doble significado de esta palabra: refrán y *tempo* lento y melancólico en música.

Cuando entrecomillamos algo, tenemos escritura de árabes.

❧

Se asfixian unos gabanes a otros en las perchas llenas. Yo tengo un gabán que se me asfixió una vez, y no he podido volver a usarlo nunca.

El gesto que hacen los elegantes al sacarse el pañuelo del faldón del frac es un gesto ignominioso e indecente.

❧

Da vergüenza abandonar el guante inutilizado del plátano, que en una mesa bien servida hubieran debido enviar al tinte antes de servirlo.

❧

Esas bombillas que se encienden y se apagan parecen castañuelas de luz.

❧

Todo el drama de algunos *films* es que la doncella se olvidó de cerrar las persianas y se vio todo desde la calle o desde el jardín.

Los que van mucho al cine acaban teniendo un párpado nictitante.

❦

El alabastro es tan carnal, que podría gastar camisa.

❦

El murciélago está hecho con alambre y con piel de ratón.

Cuando con la pluma se hace un enredijo de líneas sale una masa encefálica.

❦

Los lirios crecen en bandada y vuelan de valle en valle.

❦

El mono tiene su humorismo en el rabo.

❦

Optimista es el que toma judías con chorizo y no le pasa nada.

❦

La eternidad envidia a lo mortal.

❦

Trigonometría es andar por el más difícil de los alambres y el más peligroso de los trapecios.

La pulga hace guitarrista al perro.

⊗

Con el margen blanco y engomado que sobra a los sellos debían franquearse los anónimos.

⊗

El que grita en la conferencia: «¡Más fuerte, que no se oye!», no se sabe si es un saboteador, un sordo o un admirador excesivo.

⊗

El plátano es el único pez sin espinas.

⊗

Los cementerios están llenos de panteones de los «que se rieron los últimos».

⊗

No se puede citar la ostra como modelo de aburrimiento, porque siempre está muy entretenida esperando que le crezca una perla.

⊗

El lector —como la mujer— ama más a quien le ha engañado más.

⊗

El tiempo sabe a agua seca.

⊗

El besugo parece haber salido del mar con el limón debajo del brazo.

—¿Por qué corren tanto las nubes al mediodía?
—Porque van a su casa a comer.

❧

El gran conflicto medicinal es cuando no se sabe si esas píldoras son para tomadas antes o después de comer.

❧

Al prender el fotógrafo el magnesio, el humo que asciende parece la subida al cielo del alma inmortalizada en la fotografía.

❧

El poeta puede decir: «El pájaro que canta quisiera saber de quién es el cielo.»

❧

Pañuelo en el violín, violín de peluquería.

❧

El limpiabotas nos ofrece catafalco para los zapatos.

❧

La frase que más reúne la vida y la muerte es la de: «¡Estoy hecho polvo!»

❧

Era tan susceptible que creía que se reían de él las dentaduras postizas de los escaparates.

❧

El látigo traza en el aire la rúbrica del tirano.

El verdugo es igual al antropófago: los dos matan para comer.

⚬

«¿En la muerte se sueña?»: he aquí el terrible problema.

⚬

Un caballo blanco desnudo de arreos parece estar ya en la explanada de la muerte.

⚬

Es bonito ese gesto con que la mujer, cuando enhebra la aguja, le retuerce el bigote al hilo.

⚬

Hay una paloma extraviada que se creyó paloma mensajera y a mitad de camino se dio cuenta de que se había equivocado.

⚬

El estornudo es la interjección del silencio.

⚬

La mariposa posándose en todas las flores, es la mecanógrafa del jardín.

⚬

En las órbitas de la calavera se ocultan los ratones de la muerte.

⚬

Dormía con la boca abierta, como si fuera un paleto de los sueños.

El murciélago hace parpadear la luz del atardecer.

⊗

Los ángeles de la guarda de los músicos debían pasarles las hojas de las partituras.

⊗

Las golondrinas abren las hojas del libro de la tarde como incesantes cortapapeles que nos han traído de Alejandría.

El rico y el pobre hacen un gesto similar los dos, como si sacaran la cartera; pero ¡con qué diferente significado, sin embargo!

⊗

Siempre que nos enfurruñamos nos sale un pelo en el entrecejo.

⊗

Los pasodobles debían tener dos autores.

⊗

Si el ascensor no estuviese prendido a su cordón umbilical, se evadiría de la casa.

La señal más verídica del buen tiempo es ver a un alemán con un divieso en la nuca.

❦

Lo más tierno del cuarto de *toilette* es ver al peine cardado en el cepillo.

❦

Terrible día ese al que se podría llamar «el día de la inauguración de la diabetes».

❦

El pan duro es como un fósil recién nacido.

❦

El paraguas puesto a secar abierto en el suelo parece una tortuga de luto.

❦

Las hojas que caen son participaciones que el otoño nos regala para su rifa.

El fotógrafo de jardín toma aspecto de toro bravo cuando se mete debajo del paño negro y parece embestir con el unicornio del objetivo. Un día sucederá que el matador de toros aproveche ese momento y se tire el lance de matarle a bastón.

Estas dos letras de la máquina de escribir que se enlazan y se montan en el aire revelan que se aman.

⊗

Al fruncir el entrecejo parece que nos ponemos los lentes invisibles de la perspicacia y de la gravedad.

⊗

El caballo con la cabeza baja mientras pace parece estar leyendo el paisaje como un corto de vista.

⊗

La *ñ* dice adiós con su pañuelo a los niños y a los ñoños.

⊗

—¿Los peces lloran?
—Los peces no necesitan llorar, porque el mar es pura y salada lágrima.

⊗

La *ü* con diéresis es como la letra malabarista del abecedario.

⊗

El termómetro parece haber sido hecho con la mala intención de que no veamos la línea de la temperatura. ¡Qué bromista!

⊗

Las costillas nos sirven para situar los dolores. «Me duele entre ésta y ésta.»

117

Esos puros que van dentro de un estuche de celuloide son como cepillos de dientes.

⊛

La bata de baño hace frailes a las mujeres, ¡pero en seguida cuelgan los hábitos!

⊛

Cuando recogemos el guante caído, damos la mano a la muerte.

⊛

No sé por qué la I mayúscula ha de quedarse sin su punto.

⊛

Las camelias son condecoraciones más que flores.

El pingüino, con la servilleta puesta, está esperando la hora de la sopa del Juicio Final en las playas antárticas.

⊛

Los arcos de triunfo son elefantes petrificados.

⊛

Lo peor de los médicos es que le miran a uno como si uno no fuera uno mismo.

118

Los barcos llevan la chimenea ladeada, como si se hubiesen puesto la chistera a lo chulo.

❦

El que aprende qué hora es las «diecinueve y cuarenta y tres» puede viajar lo que se le antoje.

❦

Hay nubes que llevan una carta urgente y otras que van a la batalla de las Termópilas sin saber que llegan tarde.

❦

El desierto se peina con peine de viento; la playa, con peine de agua.

❦

Las gallinas picotean el suelo como si comiesen pedazos de estrellas que cayeran del cielo.

❦

Tan pequeño era el tiempo en su reloj de pulsera, que nunca tenía tiempo para nada.

❦

Las golondrinas entrecomillan el cielo.

La luna tiene un deseo voraz de gastar monóculo, y ya ha pensado en el anillo de Saturno, que ella no sabe que la iba a venir grande.

Sillas de tubo metálico; sillas para esqueletos.

❀

El que pide un vaso de agua en las visitas es un conferenciante fracasado.

❀

Los atriles están indignados por cómo los maltrata con la batuta el director de orquesta.

❀

Todos los días del Limbo son domingo.

❀

Un automóvil pintado de blanco no es un automóvil, es un cuarto de baño.

❀

Los que matan a una mujer y después se suicidan debían variar el sistema: suicidarse antes y matarla después.

❀

No hay nada que enfríe más las manos que el saber que nos hemos olvidado los guantes.

❀

El camello es el animal más orgulloso de la creación, orgulloso hasta de su joroba.

❀

Toda gota nace para estalactita, pero cae sólo como mortal gota.

Las conchas de las playas son los restos de los arroces que se come Neptuno.

⊗

El Creador guarda las llaves de todos los ombligos.

⊗

Hay los escritores de títulos largos y los de títulos cortos. Los que titulan una cosa *El*, y los que la titulan *El hombre que sacaba el reloj y después comía sentado.*

R.

No conviene pintar ya a las brujas montadas en una de aquellas escobas ordinarias que, generalmente, eran escobas que habían barrido mucho. Las brujas modernas deben ser representadas sobre una escoba aviónica, con el volante de la dirección en el mango y la hélice al final.

⊗

La gasolina es el incienso de la civilización.

⊗

Tenía orejas ideales para sostener el lápiz, y por eso hubo que dedicarle al comercio.

⊗

El que lleva su taza para repetir es como un pobre que pide con platillo.

Los animales de la selva, cuando hablan de los que están en los parques zoológicos, los llaman, despectivamente, «burócratas».

⊗

Al pintarse los labios con la barra de carmín parecía encerrar entre paréntesis un beso posible.

⊗

Los pájaros de pico largo parece que se están fumando el cigarro de su pico.

El bebedor con paja se va tornando pájaro, y hay un momento a últimos de verano en que ya lo es realmente.

⊗

Hay unos peces flechas en el mar que señalan a los grandes peces el camino que deben seguir.

⊗

El defecto de los pisos interiores es que los cuchillos están siempre sin filo, porque no se puede llamar al afilador que pasa.

⊗

Era una noche con medias de seda negra.

Las chimeneas eran el confesionario del corazón de las mujeres; pero ahora, con los radiadores, no se confiesan nunca.

❀

El epitafio es la última tarjeta de visita que se hace el hombre.

❀

La huella del pie en la arena es como la huella de la mano del gorila.

❀

Dijo Buffon[5]: «El genio es una larga paciencia...» Sí, la de su esposa.

❀

El lunar es el punto final del poema de la belleza.

❀

Se enfadó porque no la oía, pero es que estaba pensando en lo mismo que no escuchaba.

❀

El búho es el implacable juez que medita durante el día las sentencias que cumple de noche.

❀

Cuando la mujer se da *rouge* frente a un espejito, parece que aprende a decir la O.

❀

Los remeros de la regata componen el ciempiés acuático.

---

[5] El naturalista francés George Louis Leclerc, conde de Buffon (1707-1788).

En la piel del tigre está su cólera laberíntica.

❦

En el canastillo del pan está también el símbolo de Moisés.

❦

En las aletas de los autos está el muñón de las alas del avión que pudieron ser.

❦

Los pararrayos hubieran sido inútiles en el diluvio universal. Por eso se inventaron mucho después.

❦

Lo más misterioso del barco es que podría estar navegando ahora mismo por otros mares.

❦

Al soplar al mosquito para que se vaya le dotamos de algo de nuestra alma.

❦

Muchas veces la mariposa parece los lentes de la flor.

❦

Cuando una mujer chupa un pétalo de rosa se da un beso a sí misma.

❦

Fruncimos las cejas porque queremos pillar con pinzas algún gran pensamiento que se nos escapa.

124

La mujer que se ha olvidado del *rouge* se consterna como si hubiese dejado los labios en casa.

❧

Las tijeras que se caen cortan el rabo al diablo.

❧

En Persia, la luna siempre es luna llena.

❧

La mariposuela tiembla a los pies de la lámpara como si temiese que la fuésemos a violar.

❧

En las chimeneas en que arde la leña parecen arder libros de memorias, diarios íntimos y cartas de amor.

❧

En la mañana, la lámpara aparece ciega de todo lo que pensó en la noche.

❧

A los presos los visten con pijamas a rayas para ver si vestidos de rejas no se escapan.

❧

El despertador es el zapatero de los sueños.

❧

La cabeza es la pecera de las ideas.

❧

Era de esos hombres que cuando se pizcan la nariz con los dedos ya están seguros de todo.

Cuando la luna se pasea por el paisaje nevado parece la novia de larga cola camino del altar.

❦

Al solo de violín le contesta siempre muy lejos otro violín.

❦

En la tinta china está el luto del Arte.

❦

La palabra más vieja es la palabra «vetusta».

❦

Los tramoyistas son los marineros del teatro.

❦

El jugo pancreático es el jugo más griego que poseemos.

❦

Se ve claramente la hipocresía humana cuando el que estaba furibundo o la que estaba furibunda tiene que atender al teléfono y se llena de amabilidad.

❦

Cuando la mujer renueva su pureza es cuando lava sus guantes blancos.

❦

Al ombligo le falta el botón.

La luna pasa incólume por el cielo porque en el reverso lleva escrita la palabra «frágil».

❧

La alegría mayor de la mujer es cuando encuentra que está cerrado el ojal de la solapa varonil en que iba a colocar una flor.

❧

En el desengaño hasta las luces de las estrellas hieren el corazón.

❧

El animal más cejijunto es el búho.

❧

La luna pone en el bosque luz de *cabaret*.

❧

El jardín se fuma en pipa las hojas caídas.

❧

Las serpientes son las corbatas de los árboles.

❧

El que ronca tiene ventriloquía de león.

❧

Las mariposas que se asoman en la noche por el cristal de la ventana la convierten en acuarium de mariposas.

❧

Lo más aristocrático que tiene la botella de champaña es que no consiente que se la vuelva a poner el tapón.

Los que no quieren que se fume en el vagón no comprenden que si la locomotora no fumase no se movería el tren.

❧

Los ojos de los muertos miran las nubes que no volverán.

❧

La esfinge está picada de viruelas por los siglos.

❧

La calavera es un reloj muerto.

❧

La arrugada corteza de los árboles revela que la Naturaleza es una anciana.

❧

Lloran los gatos en la noche porque hubieran querido nacer niños en vez de gatos.

❧

La serpiente mide el bosque para saber cuántos metros tiene y decírselo al ángel de las estadísticas.

❧

En las grandes solemnidades llenas de personajes uniformados parece que hay algunos repetidos.

❧

Álbum: cementerio de pensamientos perdidos.

Por el ojo de la aguja se ve la montañita del más allá.

❋

El camello tiene cara de cordero jorobado.

❋

Al darse cuenta el Creador de que el hombre se iba a comer el pollo, le complicó las articulaciones para que fuese difícil el trincharlo.

❋

La esfinge se mira con coquetería en el espejo del espejismo.

❋

Los dulces finos son servidos en diminutos paracaídas.

Hay un momento en que al bandoneón parece que se le cae una pila de libros que no ha podido abarcar con las dos manos.

❋

Un epitafio es una tarjeta de desafío a la muerte.

❋

El búfalo es el toro jubilado de la prehistoria.

El bebé se saluda a sí mismo dando la mano a su pie.

❦

El único animal que sabe historia es el león.

❦

Un político con cara de foca es un político ideal.

❦

Los niños hacen sus construcciones con el deseo de que caigan en ruinas. ¡Provocar el terremoto es lo que más les divierte!

❦

En la tormenta se ve al Profesor Supremo escribiendo y borrando cálculos eléctricos en la pizarra del cielo.

❦

El café con leche es una bebida mulata.

❦

La pieza de bacalao es la cometa de la Cuaresma.

❦

Las palmeras nos hacen provincianos.

❦

Franklin salía los días de tormenta con un paraguas dotado de pararrayos.

❦

Hay cojos con pierna de palo que reflorecen cuando viene la primavera y se vuelven sátiros.

El musgo es el peluquín de las piedras.

❊

Los ciclistas no saben lo frágil que es la base del cráneo.

❊

La pantalla cinematográfica debe tener la anchura de una sábana matrimonial, ya que al final de casi todas las películas se casan sus protagonistas.

❊

Los negros son negros porque sólo así logran estar a la sombra bajo el sol de África.

❊

El reloj es el guardapelo del tiempo.

❊

El ciclista y la bicicleta enredados en la caída parecen un insecto boca arriba.

❊

El nido es una corona de espinas sin espinas.

❊

La viuda parece llevar su espeso velo para que no le piquen las moscas de la muerte.

❊

Nuestra verdadera y única propiedad son los huesos.

Lo malo de los nudistas es que cuando se sientan se pegan a las sillas.

❀

El ventilador afeita la barba al calor.

❀

Cuando en nuestras mangas faltan botones parece que hemos sido deshonorados.

Abrir un paraguas es como disparar contra la lluvia.

❀

Los cocos tienen dentro agua de oasis.

❀

¿Y si estuviésemos equivocados? ¿Y si la Tierra fuese la Luna y la Luna la Tierra?

❀

En las máquinas de escribir, el alfabeto baila la jota.

❀

Las máquinas registradoras nos hacen la instantánea del precio.

❀

Es triste que el interior de los baúles esté empapelado de pasillo.

❀

Al repartir los puros el anfitrión es como si premiase a los que se han portado bien en la mesa.

—¿Hay peces en el sol?
—Sí, pero fritos.

Los bebés con chupete miran al fumador en pipa como a un compañero de cochecito.

El teléfono en realidad lo inventó el deshollinador, hablando con su compañero a través de las chimeneas.

Los monos no encanecen porque no piensan.

La sartén es el espejo de los huevos fritos.

La escoba baila el vals de la mañana.

La *T* está pidiendo hilos de telégrafo.

El calzador es la cuchara de los zapatos.

Abdicación es dejar la corona sobre la mesa y marcharse de viaje.

Cuando aparecen tres perlas en una ostra es que el mar ha regalado al hombre una botonadura.

Los bostezos son oes que huyen.

Debajo de la almohada de los cochecitos de niño esconde la mamá sus ilusiones muertas.

El río cree que el puente es un castillo.

En los cipreses retoñan los palos de los navíos náufragos.

El que en la desgracia se oculta la cara con las manos parece que se está haciendo la mascarilla de su pena.

Los vegetarianos no admiten sino transfusiones de sangre de remolacha.

Una de las cosas más tristes de los trenes es que las ventanillas de la derecha no podrán ser nunca las ventanillas de la izquierda.

Entre las cosas que quedan en las papelerías están las manos doradas para coger en su pinza los papeles que deban estar unidos y a la vista. Esas manos doradas nos han emocionado siempre, porque tienen algo de manos de difuntas fuera de sus féretros, bellas manos de mujeres cándidas.

❈

Esas cortinas cortas de algunas puertas son como cortinas de puertas embarazadas.

❈

El compositor de música es el último negrero, por cómo acumula barcos de negros, en los mares del pentagrama.

❈

El ruido más malagorero del cine es el de esa primera cortina que suena sus rodajas —pulseras subalternas y miserables— en cuanto chasquea el beso de la reconciliación final.

❈

El cinematógrafo da sólo una hora para que cenen los cómicos, los perritos y los chóferes y vuelvan a la pantalla.

❈

Reminiscencia: rumiar recuerdos.

❈

Las violetas son actrices retiradas en el primer otoño de su vida.

❈

Lo peor del matrimonio de Adán y Eva es que no tuvieron anillos con la fecha grabada.

El paisaje adora al molino.

⊗

Cuando nos tardan en servir en el restaurante nos convertimos en xilofonistas de la impaciencia.

⊗

El amor nace del deseo repentino de hacer eterno lo pasajero.

⊗

El cisne es la *S* capitular del poema del estanque.

⊗

El ciervo es el hijo del rayo y del árbol.

⊗

La medicina ofrece curar dentro de cien años a los que se están muriendo ahora mismo.

⊗

Lo que más irrita a la Luna es que sea la Tierra la que le pone los cuernos, eclipsándola de ese modo grotesco.

⊗

Al pasar la luna por la sierra de los ladrones la roban el reloj.

⊗

De lo único que no hay operador que opere al hombre es del túmulo.

Después del eclipse, la luna se lava la cara para quitarse el tizne.

⊗

Hay quien se reserva para dar su primer limosna a los pobres que haya a la puerta del cielo.

⊗

El que se despierta de la siesta al atardecer, nota que le han robado el día mientras dormía.

⊗

Al inventarse el cine, las nubes paradas en las fotografías comenzaron a andar.

⊗

Si no fuésemos mortales, no podríamos llorar.

⊗

Lo que ve el afamado en su fama es su propia muerte anticipada.

⊗

Cuando el banderillero y el toro se citan, queda en suspenso una única cuestión: quién clavará a quién.

⊗

El reloj no existe en las horas felices.

⊗

La X es el corsé del alfabeto.

Si la realidad es apariencia, resulta que la apariencia es la realidad, eso si no es la realidad la apariencia de la irrealidad.

❦

Al asomarnos al fondo del pozo nos hacemos un retrato de náufragos.

❦

La almohada siempre es una convalenciente.

❦

En las huellas digitales está ya el laberinto del crimen, pero falta quien las sepa descifrar antes de que sea irreparable.

❦

Catálogo: recuerdo de lo que se olvidará.

❦

El arco iris es la bufanda del cielo.

❦

Las velas de cera gotean camafeos.

❦

La luna es la lápida sin epitafio.

❦

Las algas que aparecen en las playas son los pelos que se arrancan las sirenas al peinarse.

Sólo al morir nos acordamos de que ya morimos otra vez al nacer.

❄❄❄

Los cuervos se tiñen.

❄❄❄

Lo más difícil que hace un jinete es sostenerse en la imagen de su caballo reflejada en el agua.

❄❄❄

La jirafa es el periscopio para ver los horizontes del desierto.

❄❄❄

Lo malo de La Bruyere[6] es que tiene nombre de queso.

❄❄❄

El arco iris es como el anuncio de una tintorería.

❄❄❄

Quien sugirió al hombre la sopa de tortuga fue la propia tortuga, por llevar la sopera a cuestas.

❄❄❄

Al dar a la llave de la luz se despierta a las paredes.

❄❄❄

La nieve se apaga en el agua.

❄❄❄

Se tocaba un bucle como si hablase por teléfono con ella misma.

---

[6] Jean de la Bruyère (1645-1696), ensayista y moralista francés.

Lo malo es cuando los glóbulos rojos se quedan en calzoncillos, convirtiéndose en glóbulos blancos.

❦

Un papel en el viento es como un pájaro herido de muerte.

❦

El agua no tiene memoria: por eso es tan limpia.

❦

Lo primero que hace el sol es pegar en la tapia el cartel del día.

❦

Nunca queda posada una hoja sobre el cisne: le sería mortal.

❦

El piano refleja en su espejo negro la llegada de la música al puerto una noche lluviosa.

❦

Bar pobre: una aceituna y muchos palillos.

❦

Somos lazarillos de nuestros sueños.

❦

Gracias a las gotas de rocío tiene ojos la flor para ver la belleza del cielo.

La luna está subvencionada por la Policía.

❧

Al levar el ancla parece que el barco, vista la hora, se mete el reloj con leontina en el bolsillo y parte.

❧

El colador está harto de pepitas.

❧

El león tiene en la punta de la cola la brocha de afeitar.

❧

¿Dónde está el busto del arbusto?

❧

En el esternón está el camafeo del esqueleto.

❧

Laura sigue saliendo de misa bella y joven todos los domingos. Quien desapareció fue el Petrarca.

❧

Lo único que tenemos de porcelana son los ojos.

❧

Nos muerde el ladrido de los perros.

❧

Es más fácil quitar el traje o desollar a un cordero que desnudar a un niño dormido.

Parece que en sueños se nos va a morir el corazón, como un obrero que se rebelase a cumplir sin descanso una jornada de día y noche en el fondo de una mina lóbrega y húmeda, húmeda de sangre...

❈

La tragedia de la gota de agua cayendo en el cubo del lavabo toda la noche es una tragedia de asunto lacónico, pero espeluznante, que conocen las pobres criaturas humanas, en las que no todo ¡ni mucho menos!, es heroico...

❈

Se tiene un poco de pánico a los papeles que giran en las calles de invierno, movidos por el fuerte viento de la estación, como si fueran perros que quisieran morder...

❈

El que se casa trata de solucionar con la expiación su deseo de mujer.

❈

Los rayos propenden al agua porque no tienen más deseo que refrescarse.

❈

Entre las cosas que ofrecía aquel gran hotel estaba: «Garaje para las moscas.»

❈

¿No os dice nada el que tantos grandes hombres hayan muerto? A mí me dice más que lo que ellos dijeron en vida.

El dedo gordo del pie asiente o deniega impaciente lo que decimos a lo que oímos.

❦

Cada tumba tiene su reloj despertador puesto en la hora del Juicio Final.

❦

En la Guía de teléfonos todos somos seres microscópicos.

❦

El polvo está lleno de viejos y olvidados estornudos.

❦

La lluvia es triste porque nos recuerda cuando fuimos peces.

❦

Los paraguas son viudos que están de luto por las sombrillas desaparecidas.

❦

Aburrirse es besar a la muerte.

❦

Los orgullosos dicen «columna vertebral», y los modestos, «espina dorsal».

❦

El león daría la mitad de su vida por un peine.

La pipa no se quema; luego si la Humanidad hiciese las casas con madera de cachimba, sobrarían los bomberos.

❊

Era de esas mujeres que, al hablar, se dirigen a nuestras solapas como si tratasen de seducir a nuestro traje.

❊

Si os tiembla la cerilla al dar lumbre a una mujer, estáis perdidos.

❊

El que lleve mucho el reloj al oído es que es corto de vista de la suposición.

❊

El coleccionista de sellos se cartea con el pasado.

❊

Las cebras son directamente caballos nacidos para los *carrouseles*.

❊

El erudito pone las manos crispadas en la librería, como el pianista en el teclado, y arranca veinte libros para sacar veinte notas.

❊

La sandía es una hucha de ocasos.

❊

El cantar rabioso del gallo quiere decir, traducido: «¡Maldito sea el cuchillo!»

En la gruta bosteza la montaña[7].

❦

Si hubiese habido fotógrafo en el Paraíso, habría sido bochornoso el retrato de bodas de Adán y Eva.

❦

El beso es hambre de inmortalidad.

❦

—¿Vino alguien?
—Sí. Vino el vino.

❦

De mucho comer «sesos a la romana» le puede salir a uno casco de centurión.

❦

Hay nubes que son como alas extraviadas.

❦

El mono no entiende, pero está siempre queriendo entender.

❦

La eñe tiene el ceño fruncido.

❦

En la orquesta, sólo el violón ve la función.

❦

Era tan mal guitarrista, que se le escapó la guitarra con otro.

_____
[7] Eco del «Polifemo» de Góngora (estrofa 6).

La luna llena que aparece después de la tormenta es un huevo pasado por agua.

⊗

Al desfundar el plátano nos saca la lengua.

⊗

La *B* es el ama de cría del alfabeto.

El ademán que hace el que limpia sus gafas, levantándolas hacia el cielo, es un ademán de astrónomo.

⊗

La alquimia que tiene preocupados a algunos hombres es la de convertir a su cuñada en su mujer y a su mujer en su cuñada.

⊗

La memoria en la mujer es una caja de sombreros en que quedan unos sombreros viejos.

⊗

Cuando el sociólogo habla de la moda es cuando más pierde el tiempo, pues la moda está hecha sólo para despistar a los sociólogos.

En el ocaso se recuecen los ladrillos para la construcción del día de mañana.

❦

El que escribe a máquina con rapidez de motociclista es que quiere llegar antes al sábado.

❦

La gaviota da la orden del amanecer costero.

❦

Las moscas parece que han escondido la tapa del azucarero.

❦

Cuando desaparece la imagen que veíamos en la pantalla del cine y pasamos a otra escena, nos vendan los ojos un momento.

❦

Tocar el arpa es tener el arte delicioso de las caricias y los pellizcos.

❦

La copa del premio es la ponchera del éxito.

❦

Las palomas blancas parecen siempre escapadas del templo de Venus.

Los poetas del pasado ya parecían haberse adelantado a los que hablan por radio, porque leían sus poesías ante el micrófono de una rosa en el búcaro.

Cuando al ciervo le salgan rosas en el rosal de sus cuernos es que habrá llegado el día de la resurrección de la carne.

Las golondrinas son los pájaros vestidos de etiqueta.

Se ve que el queso Gruyére ha sido señalado por muchos dedos, como diciendo: «De ése.»

Pescar es un aperitivo para comer después pollo con arroz.

148

No hay que hacerse los desentendidos. Las espinas de las rosas están hechas para que se pinche el hombre.

❧

El murciélago es un mandadero que no encuentra al que tiene que dar el recado.

❧

Cuando la mujer se da polvos después de la entrevista, parece que borra todo lo dicho.

❧

El beso es la burla del soplo.

❧

Cuando la mujer nos ayuda con el secante a preparar el final del trabajo urgente, vuelve a ser la Verónica.

❧

La alcachofa se muestra dura por fuera, pero tiene dulce corazón.

❧

El cuchillo del cocinero hace una flor de un rábano.

❧

El Polo siempre está preparado para tomarse un *whisky*.

❧

Cae la niebla sobre la ciudad para ver si consigue que el hombre se olvide un poco de la realidad.

El índice del libro no tiene réplica: lo que no esté en él no estará en el libro. ¡Terrible!

❀

Dentro de los turbantes llevan los orientales sus metáforas poéticas.

❀

El capitel de la columna luce la ondulación permanente de la piedra.

❀

Cuando el guardia de la circulación se comienza a quitar un guante, multa fatal.

❀

La ola muere en espuma de impotencia al no poder pasar tierra adentro.

❀

El día de su presentación en sociedad es cuando la oruga se convierte en mariposa.

❀

Monólogo quiere decir el mono que habla solo.

❀

Un burgués flaco revela lo que de calumnioso tiene la palabra «burguesía».

❀

Cierta mujer no es todas las mujeres, ni todas las mujeres son cierta mujer. Esa es la tragedia de la vida.

La aurora siempre se sorprende de vernos aún vivos.

❦

El deseo del rayo es plantar en el suelo un árbol eléctrico.

❦

Los profetas hablaban por teléfono con Dios.

❦

La estrella parpadea porque tiene sueño.

❦

La luna es a veces una maestra de escuela que nos quiere enseñar geografía.

❦

Si el burro comiese carne, sería el animal más feroz de la creación.

❦

Un turbante en la cabeza de una mujer es un nido de ideas de más sombreros y más vestidos.

❦

Ante su lujoso tocador se preguntaba la gran dama: «¿Es que mi cepillo de plata me ha podido contagiar las canas?»

❦

Las mariposas las hacen los ángeles en sus horas de oficina.

El mármol sabe esperar su estatua durante siglos.

❧

La ola es torpe como ella sola. Nos trae su sopera con sopa de pescado, y siempre se le cae en la arena.

❧

El partenueces es un ensañado verdugo.

❧

El pez está siempre de perfil.

❧

Amor que ha perdido la memoria: desamor.

❧

Como la luna se pone más allá del horizonte, nadie sabe si cae cara o cruz.

❧

No hay que dar la verdad desnuda. Por lo menos, hay que ponerla un velillo.

❧

Menos mal que a los mosquitos no les ha dado por tocar el saxofón.

❧

Todas las plantas de los jardines zoológicos preguntan por Linneo[8].

___

[8] Carl von Linné, botánico sueco (1707-1778), autor de *Genera Plantarum,* libro que marca el comienzo de la botánica sistemática.

La medalla de plata es la luna oculta en el escote adolescente.

❈

Un marinero es un colegial interno del ingenuo colegio del mar.

❈

Un paquete de sal parece que va a durar mucho, pero se gasta en seguida porque la sosería de la vida es atroz.

❈

Cuando un hombre muere, sus ideas quedan archivadas; pero se pierde la llave del archivo y el archivo.

❈

—¿Ha comenzado?
—Acaba de quitarse la bata la pantalla.

❈

Los pulgones de playa son como burbujas de agua mineral que se han escapado.

❈

Un beso de primera calidad está hecho de fresa con *chantilly*.

❈

Si se quiere saber si la luna es de plata hay que verla reflejada en el agua, como para saber si es legítima se hace rebotar la moneda en el mármol.

153

Lo más maravilloso de Dios es que creó las cosas sin fórmula, sin boceto ni anteproyecto.

⊗

Entre las calvas que nos encontramos por la vida hay unas que son calvas de hombres muertos.

⊗

Las Parcas no cortan ya con tijera el hilo de las existencias, sino con ese aparato con que el chico de la tienda corta el bramante.

⊗

Lo que da más tristeza a la vida son las conferencias sin nadie y los ensayos de órgano.

⊗

Los peluqueros tienen subvencionados a los perros para que ladren a los que van mal afeitados.

⊗

Esa perla que cae entre los senos, como señal entre las hojas de un libro, es como registro para saber en qué senos habíamos quedado.

⊗

Cuando se ahogó ella se escaparon sus senos al cielo, como dos burbujas ideales.

⊗

Las películas que hemos querido ver, sin haber podido lograrlo, son como vidas que hemos podido vivir y se nos escaparon.

El helado que sale reproducción exacta de la torre inclinada de Pisa hay que sorberlo muy de prisa.

❦

Los que fechan cualquier cosa con números romanos —MCMXXXV— son unos MMMEMOS.

❦

La sidra quisiera ser champaña, pero no puede porque no ha viajado bastante por el extranjero.

❦

En la noche alegre la luna es una pandereta.

❦

A cada disparo recula el cañón, como asustado por lo que acaba de hacer.

❦

El agua se suelta el pelo en las cascadas.

❦

La lava parece un cocodrilo que avanza.

❦

En la afinación los violines se rizan el bigote.

❦

La gran invención sucederá el día en que el guante de la mano izquierda sirva para la derecha.

❦

La *F* es el grifo del abecedario.

Hay el especialista en pedir el único plato que se ha acabado en el *menú*.

❀

El mar es la rotativa más antigua del mundo, que tira incesantemente y en rotograbado el diario *La Ola*.

❀

Cuando el matador va a matar se coloca como fotógrafo que va a instantaneizar a la muerte.

❀

Los jardines grises de los fotógrafos son los verdaderos jardines poéticos de los malos sonetos.

❀

El niño intenta sacarse las ideas por la nariz.

❀

Buda es el dios que no hizo régimen en las comidas.

❀

En el papel de lija está el mapa del desierto.

❀

De los escenarios de los cines sale viento del Polo.

❀

El gorro del cocinero es el gran merengue simbólico.

❀

Entre los carriles de la vía del tren crecen las flores suicidas.

El apuntador es el eco antes que la palabra.

∽

La Naturaleza es triste. ¿Ha visto alguien reírse a un árbol?

∽

El espantapájaros semeja un espía fusilado.

∽

El ascensor es más peligroso que el avión, porque si se desgracia no será posible salvarse ni con paracaídas.

∽

Lo malo de los diccionarios enciclopédicos es que están llenos de grabados de bacilos.

∽

Si hay una miga en la cama, el sueño estará lleno de promontorios y peñascos.

∽

El mapamundi nos sirve el mundo como un par de huevos fritos.

∽

Los ojos de los gatos están mirando por el ojo iluminado de la cerradura de la alcoba del misterio.

∽

La X es la silla de tijera del alfabeto.

Bibliómano es una especie de cleptómano de los libros.

❈

En las máquinas de escribir sonríe la dentadura postiza del alfabeto.

❈

La gaita canta por la nariz.

❈

El zodíaco es algo así como la lista o *menú* del restaurante de los dioses.

❈

La *L* parece largar un puntapié a la letra que lleva al lado.

❈

Lo más terrible de nuestro libro de direcciones es que sacarán de él las señas de nuestros amigos para enviarles nuestra propia esquela de defunción.

❈

No se sabe cuándo los bomberos vuelven o van. Debían poner una señal aclaratoria en sus carros de asalto para nuestra tranquilidad.

❈

La *W* es la *M* haciendo la plancha.

❈

El colchón está lleno de ombligos.

Los días de lluvia, el Metro se convierte en submarino.

☙

Un foco de automóvil proyectándose sobre nosotros nos convierte en película.

☙

La belleza con lunares es una belleza certificada.

☙

En la pequeñez de la violeta se esconde el proyecto de un gran amor.

☙

Si los gatos se subiesen unos sobre otros, llegarían a la luna.

☙

El alfabeto es un nido de pájaros del que proceden bandadas y bandadas de palabras.

☙

La mariposa vuela en la muerte clavada en su alfiler.

☙

Cuando el niño corre detrás de la resaca se cree que el mar huye de él.

☙

Hay pianistas violentos que tienen la locura de pisarle los callos al piano.

No os fiéis nunca de las mujeres que al besar se cuelgan del cuello y levantan una piernecita burlonamente.

El ruiseñor es el Hamlet de los pájaros.

Abrimos la puerta del piso como ladrones y entramos como detectives.

El 4 tiene la nariz griega.

Las teclas negras son el luto que guarda el piano por los pianistas muertos.

La *h* es una letra tan transparente y tan muda, que no es raro que a veces no nos demos cuenta de que no está en la palabra en que debiera estar.

160

El ventilador debía dar aire caliente en invierno.

※

Hay unos finales de concierto en que parece que se ha vuelto loco el músico más sensato.

※

Contar la velocidad en nudos me parece un sistema retardatario.

※

La mosca es la sortija del pobre.

※

Al sordo hay que gritarle, pero con naturalidad, como si se le hablase en voz baja.

※

El dispéptico llega a tener diálogos teatrales en la barriga.

※

La amnistía es la amnesia del delito.

※

—He escrito un opúsculo.
—¡Tan joven!

※

Eran tan elegantes y tan aburridos, que cuando se reunían pedían una botella de *spleen*.

El peluquero nos habla mientras nos sirve como loquero sensato a un loco momentáneo.

❦

La mosca nos trae un murmullo de los confesionarios de la muerte.

❦

El marido ideal es el que dice: «Mi mujer es una ecónoma.»

❦

Los que meriendan en el campo llevan un perrito para que se coma los huesos. Pero ¿por qué no llevan otro para que se coma los papeles?

❦

Lo mejor de la aurora es que no sabe nada del día anterior.

❦

El rebuzno es un suspiro frenético.

❦

Sólo la mujer da cuerda a los corazones.

❦

El que nos pide que le demos «un golpe de teléfono» es un masoquista.

❦

El avión matará los celos, pues ella, que se ha estado con uno en Nueva York o Santiago de Chile anteayer, puede estar pasado mañana con otro en Madrid.

El violín puede ser stradivarius; pero el arco y el brazo que lo tocan son de otra época peor.

⊗

El 5 es un número que baila.

⊗

El arco del violín tiene el pelo blanco de la experiencia.

⊗

La luna y el sol no tienen más que una sola cama para descansar y por eso la una trabaja cuando el otro duerme.

⊗

Lo más caro de la Naturaleza es el rocío, que sólo se expende con cuentagotas.

⊗

Anónimo es un superviviente de todas las épocas que siempre es el mismo.

⊗

No hay nadie que saboree el agua como el pájaro.

⊗

Nuestra sombra debía de servirnos de paraguas los días de lluvia.

⊗

Odian a los negros y se pasan las horas enteras al sol para ver si se ponen negros.

El Japón vive en pleno bazar.

❀

El gusano se arrastra resignadamente porque tiene prometido un viaje en avión cuando sea mariposa.

❀

La jirafa es la escalera contra incendios de los animales.

❀

La luna es la exclamación de sorpresa de la noche, su «¡oh!» luminoso.

❀

El mono usa guantes en los pies.

❀

Tenía triste la voz como si le saliese del esqueleto.

❀

La sonrisa de la Gioconda está hecha para durar siglos.

❀

Frase artística: la alegoría de la gloria.

❀

La perla se forma nada más que con las escondidas ilusiones de la ostra.

El humo es la oración del hogar.

❧

El elefante no es un animal, es una asociación.

❧

En las peluquerías nos visten de fantasmas.

❧

En la ola está el espejo de los abismos.

❧

El crepúsculo es el aperitivo de la noche.

❧

El antropófago es el consumidor que se come al consumidor.

❧

El escritor antiguo compraba una gallina para comérsela y tener además plumas con que escribir.

❧

Con lo de «conejo a la cazadora» se disimula que es conejo de corral.

❧

Lo más misterioso del bosque es cuando se oye en su gran silencio el quebrarse de una ramita.

165

Sobre el hombre que se sienta en el sillón ultrapeluqueril de los dentistas oscilan todas las luces de una gran metrópoli y se es como víctima de una *shock* nervioso en una calle de Nueva York a la hora de más tráfico y de más bombaje eléctrico.

❈

El tranvía aprovecha las curvas para quejarse de la empresa.

❈

Al entrar en las puertas giratorias miramos hacia atrás por si viene Charlot queriéndonos empujar.

❈

Medicinas y coñac para dormir: insomnio con tos.

❈

El pez no aguantaría la pecera si no se hiciese la ilusión de que viaja por los mares de China.

❈

La luna es el espejo de la experiencia de los siglos.

La Biblia es un libro en el que todos estamos aludidos.

⊗

El calvo parece que puede ver las estrellas sin levantar los ojos al cielo.

⊗

Los ángeles del cine son ángeles negros.

⊗

Hay días grises que son días medievales, con tejado de pizarra.

⊗

El cacto es el churro monstruoso y vegetal.

El queso Gruyére nos está diciendo: «¡Hay que tener mucho ojo!»

⊗

Hay dos tipos humanos diametralmente opuestos: los que piden sopa siempre y los que no la toman nunca.

⊗

La patata es el vegetal minero.

⊗

Amasador de masas: panadero político.

⊗

Los telegramas debían tener un distintivo exterior que señalase si son felices, tristes o catastróficos.

Quiso unir la alegría con el dolor y estalló el laboratorio.

⊗

El matrimonio es la carta de amor certificada.

⊗

El bacilo es el gigante más pequeño y más feroz.

⊗

La Historia es un pretexto para seguir equivocando a la Humanidad.

⊗

El caballo de circo es la mesa de plancha de la amazona.

⊗

El paracaidista es un muñeco ahorcado que se salva.

⊗

Alcohol puro es un agua que se emborrachó demasiado.

⊗

La más elegante del baile se había hecho el traje de esos encajes que tejen sobre el suelo la sombra de los árboles.

⊗

El búho es la lámpara de la mesilla de noche del bosque.

Me inquietan las escaleras mecanizadas, porque revelan cómo nos conduce siempre la fatalidad, aunque creamos estar inmóviles.

Nadie ha pesquisado ese descuartizamiento de estatuas que se verifica en las clases de dibujo.

El sueño nos conduce detenidos a su calabozo.

El elefante es la enorme tetera del bosque.

La luna china gasta coleta.

Lo único que le falta a la colmena para ser una verdadera fábrica es tener envases para vender su miel.

El que se pone la mano en la oreja para oír parece querer cazar la mosca de lo que se dice.

Al abrirse sobre el balcón el armario de luna da una bofetada de luz a los vecinos.

El amor es como una manía, pero la más terrible de todas.

La rosa convierte en lágrimas las gotas de agua.

Las hojas secas parecen papeletas de una rifa de pájaros.

❦

La mandolina con su barriguita musical.

❦

El beso nunca es singular.

❦

El viento es el correo amoroso de las flores.

❦

Sobre la ñ revolotea la lombriz caligráfica.

❦

Hay quien se pone a comer cacahuetes como si rezase el más largo de los rosarios y se comiese las cuentas.

❦

Caballo: multiplicación de las venas de la cara por la intensidad de los ojos.

❦

Grosella de besos.

❦

Los fantasmas salen por un espejo y se meten por otro.

❦

Cada estornudo apaga una velita de nuestros futuros cumpleaños.

En realidad, los seguros de vida son seguros de muerte.

❀

La Bolsa es el manicomio de los locos gritones del dinero.

❀

La muy chula llevaba en la frente una *S* de pelo.

❀

El oráculo era un mentiroso cuya originalidad consistía en decir las mentiras con anticipación.

❀

La luna va fijando pasquines en blanco por los sitios que pasa.

❀

Una libélula es como un tornillo que vuela.

❀

Los números son los mejores equilibristas del mundo: se suben unos encima de otros y no se caen.

❀

Los jazmines son recortes de luna al pasar por entre las tijeras de los altos árboles.

❀

Es tan inédita la muerte, que el que va a morir inaugura la muerte como el primer muerto.

Aquella mujer me miró como a un taxi ocupado.

⊗

Algo se juega uno al echar los dados de hielo en el vaso.

⊗

No hablemos mal del viento, porque el viento siempre está parado a nuestro lado.

⊗

La sandía está llena por dentro de borrones de tinta.

⊗

Adán no se divorció de Eva porque no encontró abogado.

⊗

Cuando nos pierden el sobre en que estaban las señas nos dejan mudos para contestar esa carta.

⊗

Los románticos siempre llevaban la mano en el pecho para vigilar los latidos de su corazón.

⊗

La Fatalidad arrastra por los cabellos a la luna.

⊗

El mar es mucha espuma de brocha y mucho filo de ola para afeitar las algas de la playa.

La crítica suele ser un impuesto que falsos agentes de la autoridad imponen al libro.

❧

Los helechos tienen hojas de ciempiés.

❧

La luna es el huevo con que se desayuna el sol todos los días.

❧

El dinero sabe guardar el más absoluto silencio para que no se note quién lo tiene.

❧

Los espárragos son los palillos con los que toca a tambor batiente la Primavera que llega.

❧

El gusano de luz busca el cigarrillo que encender y no lo encuentra.

❧

«Sólo el hombre posee la idea de la muerte.» ¡Pero el aullido malagorero del perro quiere decir que la ha visto antes que el hombre!

❧

«Matar el tiempo» es una fanfarronada de bravucón.

❧

La palmera es un árbol acuático que logró llegar a la orilla.

173

Repasamos el almanaque con indiferencia, sin dar importancia a tal fecha, sin saber que será el señalado día de nuestro aniversario.

✤

El coliseo en ruina es como una taza rota del desayuno de los siglos.

✤

La *M* siempre se sentirá superior a la *N*.

✤

Cuando cae el sol en el buzón del ocaso no nos importa, porque sabemos que tiene la contestación pagada.

✤

El as de copas queda como el trofeo de la noche perdida.

✤

Ningún espacio mejor aprovechado arquitectónicamente que una lata de sardinas.

✤

¡Lo que tarda la mariposa en hacerse la *toilette* dentro de su capullo!

✤

La sota de oros es como el galán afortunado de la baraja. ¡Joven, apuesto y con dinero!

✤

Hay noches en que nos damos cuenta de que la luna ha sido guillotinada.

Es tan violento el mar en las costas porque pleitea para que le devuelva la tierra lo que le robó.

❧

Eco de Jorge Manrique: «¿Dónde fueron a parar las cacerolas, de las que sólo queda la tapadera?»[9].

❧

Las tijeras caídas suenan a espuelas.

Al reloj parado le queda el orgullo de que dos veces al día señala la hora que es.

❧

La luna sobre el mar es aviador y buzo.

❧

Lo primero que hacen en las peluquerías es poner camisa de fuerza al cliente. ¡Por si acaso!

❧

El viento no sabe mover las páginas de un libro; o mueve una sola o las mueve todas con brusquedad de lector enloquecido.

❧

Nada se desmaya sobre el camino como una rueda.

❧

El chimpancé es el pensador que no revela nunca su pensamiento.

---

[9] En sus famosas «Coplas a la muerte de su padre», Manrique hace uso del topos clásico *ubi sunt* (dónde están), para expresar el aspecto pasajero de la vida terrena.

La guitarra es la maja desnuda y sonora.

✤

Todo el mar quiere salvarse en el tablón que flota.

✤

A la luna sólo le falta tener marco.

✤

Sifón: pistola contra la sed.

✤

El lápiz escribe sombras de palabras.

✤

Conejo a la portuguesa: poco conejo y mucho tomate.

✤

Lo malo del bello atardecer en el jardín es que tiene calcetines de mosquitos.

✤

La cebra es un modelo de caligrafía.

✤

La bicicleta es el único vehículo que tiene tratamiento de señorita.

✤

Las estrellas están indignadas con la luna porque las deslumbra con su faro, cuando ellas, teniendo más potencia, lo llevan a media luz.

Los billetes de Banco son el papel secante del sudor del mundo.

❧

El pavo real fue el que inventó el arte decorativo.

❧

Las columnas salomónicas danzan la danza del vientre.

❧

Los trenes debían salir al mismo tiempo, pues no hay nada qe maree más que ver por la inmóvil ventanilla que se mueve el vagón de al lado.

❧

Lo antipoético es que el cisne tiene el cuello torcido de tanto buscarse las pulgas.

❧

El placer de las viejas es cuando dicen: «Se vuelve a usar.»

❧

Hay unos murciélagos que subieron a la luna y que ya son murciélagos blancos.

❧

Antes el convidador se ponía las gafas para ver la clase de los vinos; ahora se las pone para ver los precios.

❧

Ya sé por qué Francia tiene un gallo como símbolo: por lo bien que sabe comérselo.

Justas medievales: dos picadores y ningún toro.

⊗

La tortícolis del ahorcado es incurable.

⊗

El elefante está sostenido sobre cuatro bandoneones.

⊗

Al que se enreda el pie en un alga parece que se le han soltado las cintas de los zapatos.

⊗

Nos pasamos la vida haciendo una miniatura del cosmos, y al final se nos cae y se nos rompe.

⊗

Monomaníaco: mono con manías.

⊗

En el arpa siempre está lloviendo música.

⊗

Si el honor pierde su hache, está perdido.

⊗

Alicates: cangrejo incomestible.

⊗

La luna es la mujer que gasta tacones más altos.

Oreja: embudo de lo que se oye.

❧

La hélice es el trébol de la velocidad.

❧

A, e, i, o, u: las cinco notas del piano humano.

❧

Hay un diálogo interior muy importante entre hígado y riñones; si se llevan bien, la cosa marcha.

❧

La lluvia acaba por olvido; pero, a veces, vuelve a acordarse, y vuelve a llover.

❧

Cuando el martillo pierde la cabeza, los clavos se ríen.

❧

En el murmullo se cuecen las palabras.

❧

Los peces no tienen cultura: no saben ni siquiera que existe la salsa mayonesa.

❧

El reloj de la torre está iluminado por lunas atrasadas.

❧

Cuando suena el timbre nos sirve una copita de vino del Rin.

El portero no la vio entrar, pero la vio salir. (Era la Muerte.)

⊗

La *F* de Felicidades debe ser firuleteada.

⊗

Con las variaciones del clima crujen los esqueletos de los muebles.

⊗

Un ser humano no es más que un portador de microbios, de más o menos microbios.

⊗

Lee y piensa, que para no pensar tienes siglos.

⊗

Las estatuas no vuelven la cabeza, porque saben que si la volviesen se convertirían en efímeros seres mortales.

⊗

Los días que la luna queda en el cielo del día es que, para secarse, quiere tomar un diurno baño de sol.

⊗

Los egipcios siempre estaban de perfil.

⊗

El barco entra en la peluquería del puerto con la ilusión de que lo repinten.

Psicoanalista: sacacorchos del inconsciente.

⊗

Llamar al siglo XIX decimonono es hacerle más cursi.

⊗

Si todas las palabras fuesen como crac, chirriar y quiquiriquí, podría existir el lenguaje universal.

⊗

Bajo el árbol no llueve mientras llueve, pero comienza a llover después que ha llovido.

⊗

Los grandes reflectores buscan a Dios.

⊗

Lo primero que quiere ser un niño es contorsionista.

⊗

Así como el barco sufre la tentación de la sirena, el auto es perseguido por Dafne, diosa convertida en árbol, que le llama para que se estrelle contra su tronco.

⊗

Cuando comprendimos el engaño de la vida fue cuando descubrimos que las flores del gran ramo estaban sostenidas con alambres.

⊗

El ángel no mueve apenas las alas para volar.

181

Bostezo: borrón del respirar.

❊

Los mástiles son los lápices con que el barco dibuja la travesía.

❊

En el poema del *menú* siempre están tachados los mejores versos.

❊

Las palomas duermen en los aleros como pobres de pedir limosna en el quicio de un portal.

❊

El ascensor está lleno de seriedad.

❊

Los hoteles de verano tienen que cobrar lo suyo, porque el mar es lo que abre más el apetito.

❊

La luna se pone algunas noches el dije de una estrella que le dejó su abuela.

❊

Una tienda de bicicletas es como un circo, y un circo es como una tienda de bicicletas.

❊

Al jardinero le horroriza el otoño porque se le descose todo el jardín.

Eclipse: carambola celeste.

❧

Ser bailarina es lanzarse sin un solo mohín al agua fría y luminosa del escenario.

❧

La única que guarda un secreto es la ceniza.

❧

El sol es un Banco vitamínico que cierra los días nublados.

❧

En la oscura memoria de la planta siempre consta de qué color eran sus flores.

❧

La mano vieja se agarra a la vida como la pata del pájaro a la rama.

❧

Al ver las tiendas de ortopedia se piensa que sus aparatos están hechos con restos de muñecos descuartizados.

❧

Los ciervos de los parques zoológicos no pueden olvidar el bosque porque reciben en sus arboladas antenas «la voz de la selva».

❧

En los arcos enhebra su hilo la historia.

Gallo: jefe de fábrica de la huevería.

⊗

Clavando clavos se nota que unos nos quieren y son dóciles y otros nos odian y son rebeldes.

⊗

Comer salchichón es poner tacones al hambre.

⊗

Hay violín de naranjada y violín de limón.

⊗

Dijo un dislate de muchos quilates.

⊗

Los carros de mudanza son tan grandotes porque trasladan los muebles y el destino —toda la fuerza del sino— de los que se mudan.

⊗

Si vivir no fuese morir, ¡qué hermoso sería vivir!

⊗

La palmera aplaude al viento con sus grandes manos verdes.

⊗

El puente está hecho de XXX que son la incógnita de si se caerá o no al pasar el tren.

184

Tomó tan en serio eso de «ahogar las penas» que se tiró al río.

❀

El tranvía tiene momentos en que parece pasar por sitios de gran oleaje.

❀

Los acordeones tienen el pelo ondulado.

❀

Raja de sandía: luna de sangre.

❀

Las sardinas son las cucharitas de plata del mar.

❀

Frívola es la que se hace una blusa con un pañuelo.

❀

Lo que más le gusta a la escalera de mano es que se caiga el martillo desde su altura.

❀

Los nietos destiñen a los abuelos.

❀

El primer beso es un robo.

El camarero que se olvida de abrir la botella, es un hijo de Tántalo[10].

❦

Las venas son los riachuelos que van a dar a la mar que es el morir.

❦

El piano siempre está vestido de etiqueta.

❦

El defecto de las enciclopedias es que padecen de apendicitis.

❦

En el fondo del automóvil se celebra la confesión del paisaje.

❦

Tememos estar mucho tiempo mirando a la luna, por si nos hace una radiografía.

❦

El violín armoniza el llanto de los niños.

❦

Las flores que no huelen son flores mudas.

❦

El que descascarillase la luna buen descascarillador sería.

---

[10] El famoso suplicio que presenta agua inalcanzable al sediento.

El raudo segundero inquieta el pausado caminar de las manillas de las horas, que exclaman: «¡Qué niño éste!».

❧

Víctor Hugo nació para estatua.

❧

Lo más terrible del atropello es que el grito lo da el freno mientras enmudece la víctima.

❧

Los cangrejos bailan la jota en el fondo del mar.

❧

Si al león le diesen de comer en la selva como en la jaula, dejaría de ser feroz para convertirse en un pensador.

❧

Lo primero que necesita un director de *jazz* es un sastre que haga muy bien las espaldas.

❧

Rollo de pianola, música «braille» para pianos ciegos.

❧

Sólo el sol puede dar vacaciones a las nubes.

❧

Pajaritos en la música: mejor están bien fritos.

❧

Todos los pájaros son mancos.

La miope huele todo con los ojos.

❧

El ronquido es la sierra del sueño.

❧

Hay árboles que dan gritos verdes.

❧

La prisa es hermana del olvidar las llaves.

❧

La rana se tira al agua como si quisiera suicidarse.

❧

Los pingüinos en la playa parecen estar desolados porque se les ha ido el barco.

❧

La luna: vacuna de la noche.

❧

La pintura al pastel se hace con polen de flores.

❧

El león está siempre a medio afeitar.

❧

Metía tal escándalo con su calva que se enteraba todo el mundo que había llegado.

El frío reparte prospectos de peletería.

❦

La bufanda nos hace pájaros pechugones.

❦

Prefiero las puertas que aconsejan: «Empujad», que las que aconsejan «Tirad».

❦

Cuando enloquece el violinista es cuando el arco toca en frenéticas XXXX el violín.

❦

El gallo se sacude las alas como si sacudiese un paraguas mojado.

❦

El hipopótamo hace vida de baúl.

❦

Los juglares de la jungla son los monos.

❦

El caballo siempre coloca con coquetería una u otra pezuña.

❦

Hay gabardinas que convierten en paquete postal al que las lleva.

❦

Motocicleta: cabra loca.

El chófer del ómnibus está en el pulmón de acero, y mira por el espejo a los que llegan.

❧

Le gritaríamos al hombre que se ha excedido en echarse gomina: «¡Cabeza de tragacanto[11]!».

❧

Ojos de estatua: ojos sin hora.

❧

La luna tiene la palidez de una chica de *cabaret*.

❧

Al fundirse una bombilla eléctrica un pez se ha apagado en el mar.

❧

La lluvia no ahoga a las pulgas.

❧

Soda: agua alegre.

❧

Al comenzar el chubasco hay quienes creen que es un pajarito el que ha lanzado la gota.

❧

Begonia: hojas de parra de lujo para salidas de noche del Paraíso.

---

[11] Arbusto de cuyo tronco y ramas fluye una goma opaca que se emplea en la elaboración de aprestos para tejidos, pinturas y cerillas. También se usa en farmacia y pastelería.

Al andar en la oscuridad, tropezamos con la silla que nos tiene rabia.

❊

Mujer preocupada: doble sal en la comida.

❊

Frente al «yo» y al «superyo» está el «qué sé yo».

❊

La araña es un acróbata que trabaja con red.

❊

A la luna le gusta cortarse el pelo al cero.

❊

El corazón mide con sangre todo lo que pasa.

❊

El bailaor llega a parecerse a una araña que se mueve en el aire.

❊

Los ruidos de barriga son ruidos intraplanetarios.

❊

Burbujas: momento en que el agua entrega su alma a Dios.

❊

En la luna se han visto revolotear papeles de un pic-nic antediluviano.

Lo que le pasa al camello es que está mal hecho.

❦

Los días de viento, los juncos tienen clase de esgrima.

❦

El pulpo es la mano que busca el tesoro en el fondo del mar.

❦

Caracolas: panecillos de los que se ha comido el mar la miga.

❦

El pabilo se va convirtiendo en el báculo de la vela.

❦

En *El entierro del Conde de Orgaz* siempre hemos supuesto que había un tío nuestro.

❦

Lo más gracioso de nuestro esqueleto es que tiene caderas de gran mariposa de hueso.

❦

La luna está llena de objetos perdidos.

❦

—¡Señor! ¡El señor! (Visita del padre.)

❦

Hay lunares que son punto y seguido y lunares que son punto final.

192

No temáis la palidez de la mujer. La luna lleva siglos pareciendo que va a desmayarse y no se ha desmayado aún.

⊗

La libélula cree que el jardín es un bordado que ha hecho ella.

El mar sólo ve viajar. Él no ha viajado nunca.

⊗

Los libros son los únicos que retienen el polvo de los siglos: material y espiritualmente.

⊗

El violín necesita el bastón de su arco como un pobre ciego.

⊗

El hielo sólo es inmortal en el Polo.

⊗

Lo que más le está prohibido al cajero es visitar una agencia de viajes.

⊗

Los galgos son tuberculosos que corren.

⊗

El lector —como la mujer— ama más a quien le ha engañado más.

El secreto de Paganini[12] fue que el arco de su violín estaba hecho con pelo de bruja.

⊗

El niño con el pantalón roto muestra otro par de mejillas que las de la cara.

⊗

He visto morir a muchos de gabardina con cinturón. No sé por qué le interesan más a la muerte.

⊗

Motocicleta: tiene cuerpo de máquina de coser y destripamiento de caballo de los toros.

⊗

Cuando se puso el Rey Sol, se acabó la grandeza de Francia.

⊗

Si le dáis un cigarro al latoso, habéis hecho vuestra desgracia, porque le habréis dado el abrelatas de la lata.

⊗

La luna: actriz japonesa en su monólogo de silencio.

⊗

Era tan moral que perseguía las conjunciones copulativas.

---

[12] Nicolás Paganini, violinista italiano tan prodigioso que se le acusaba de tener un pacto con el diablo.

Todas las sábanas que guarda la luna son sábanas de hilo.

❁

La lluvia se puso a teclear en su máquina de escribir.

❁

Cuando decimos heteróclito suena la marimba del lenguaje.

❁

Las golondrinas se meten en sus nidos antes de que anochezca mucho, porque las da mucho asco que las confundan con los murciélagos.

❁

Cenobita[13]: uno que cenar evita.

❁

Eran unos fósforos tan malos que se quedaba calva la lija de rascar.

❁

Lo malo del viento es que no tiene peine.

❁

La K es una letra con bastón.

❁

La luna es el único viajero sin pasaporte.

---

[13] Ermitaño que hace vida de penitencia.

La guitarra hace por el agujero de su objetivo la fotografía de los que la escuchan.

❀

La manzana de Adán y Eva tenía gusano dentro, el gusano de la muerte.

❀

El abanico es el cepo en que cae el cándido.

❀

El capullo se abre lentamente porque espera oír el soneto a la rosa.

❀

Freud: teoría del ojal que se escapó en busca de un botón lejano.

❀

Parece que el ave parada en lo alto del árbol dice adiós al barco de la tarde.

❀

El comercio se excede a veces porque es ciego en medio de todo y cree que hay más ricos de los que hay.

❀

Lo más bonito de la bicicleta es su sombra.

❀

La Naturaleza hermana las cosas y por eso la corteza de la palmera se parece a la piel del elefante.

La luna tiene noches en que se ve que ha estado en el instituto de belleza toda la tarde.

⊗

Casi todos los letreros luminosos están neurasténicos.

⊗

Quitarse de mala manera un grano es como provocar un volcán.

⊗

La *Maja desnuda,* de Goya, es una almeja abierta.

⊗

La diferencia del hombre con la mujer es que el hombre cree que enhebrando la aguja con el más largo hilo le podrá durar toda la vida. Y la mujer sabe que la hebra debe ser siempre corta.

⊗

Armó la pistola del cerrojo y se fue a acostar.

⊗

La luna sí que está llena de conejos blancos.

⊗

Los monos del terremoto comenzaron a columpiarse en las lámparas.

⊗

El tiempo desgasta la vuelta de las esquinas.

Las arañas zurcen los calcetines de los rincones.

❦

El órgano es un piano que además se ha creído barítono y tenor y, a veces, tiple.

❦

Aquellos caballeros de gran escribanía de plata secaban la tinta fresca de lo escrito con la arena que habían traído en los zapatos al volver de las playas.

❦

La luna es la gran enceradora de pisos de los lagos.

❦

La pulga posee el mejor muelle saltarín.

❦

¡Qué hermoso cutis tienen los violines!

❦

El camarero nos pone charreteras de grasa, pero en un solo hombro.

❦

La palabra inefable parece haber sido raptada por un Don Juan.

❦

La U es la herradura del alfabeto.

Cigarro puro: momia de tabaco.

⊗

El que ha aplaudido antes de que acabe la partitura quisiera que se le tragase la tierra.

⊗

Los ríos siempre están escribiendo al mar la más larga carta.

⊗

La jaqueca es esa señora pesada a la que no se quiere recibir, pero que se cuela diciendo: «Sé que está en casa.»

⊗

Cuando nace la nueva luna, sabe trazar a la perfección su disco en el cielo, pero días después, comienza a hacerlo mal.

⊗

Hay un día al año en que ponen bombillas nuevas a la luna.

⊗

La luna se dedica a pegar pasquines en blanco en todas las fachadas; menos mal que son inocuos porque no sabe leer ni escribir.

⊗

La vírgula o tilde de la eñe de España es la nubecilla que flota en su cielo azul.

El corazón de la mujer es una máquina lavarropas de recuerdos.

⊗

Después del masaje que le dan al pan los amasadores sigue siendo lo que más engorda.

⊗

La vaca dice: «¡Mu!» y la humedad dice: «¡Moho!»

⊗

El aerolito es una carta maciza que nadie sabe leer.

⊗

Luna: farmacia de turno en la soledad de los campos.

⊗

Todos los chorizos se ahorcan.

⊗

Las flores mueren en olor de santidad.

⊗

A los pinos siempre se les están cayendo horquillas del moño.

⊗

Las palomas se encargan de poner mechones canosos a las estatuas de bronce.

⊗

Patrón oro internacional: la tortilla.

Hay noches en que la luna es como la vieja bruja que sabe preparar filtros de amor o filtros envenenados.

∞

El orgullo de la sopa es estar muy caliente para hacernos esperar.

∞

La luna arrebujada de nubes es que ha salido de tapadillo.

∞

Camarero que nos pide el *menú* para saber si hay eso que le pedimos, camarero que no se sabe la lección.

∞

Los huevos nacen con camisa almidonada.

∞

Se va el tren del día y, por último, vemos en su furgón de cola el farol rojo del ocaso.

∞

Radiografía: los huesos despojados de su traje de baño.

∞

La luna se hace tirabuzones en las magnolias.

∞

Eclipse: momento que el sol o la luna se ponen un rato gafas ahumadas.

Muerte: eclipse total de luna y de sol.

❀

Luna: gran jofaina de la noche.

❀

La tos es muchas veces trasnochadora, se esconde, no se sabe dónde, hasta que llega la noche.

❀

El griego tiene la doble categoría de ser él y un antepasado.

❀

La O es el bostezo del alfabeto.

❀

En la vida se pierden hasta los imperdibles.

❀

Hay que hacer tumbas con periscopio.

❀

Una librería es un andamiaje que se adquiere para edificar el futuro.

❀

El ruiseñor... No, del ruiseñor no se puede ni se debe decir nada.

¿Su categoría? Chimenea con un solo leño.

❧

Desde que se usa encendedor, la Humanidad tiene menos fósforo.

❧

La luna: mecanógrafa de la noche.

❧

Las nubes caen como leones sobre la luna, pero no la pueden devorar.

❧

En el Botánico está la hierba que nos salvaría; pero, como no tenemos el instinto del perro, no daremos con ella.

❧

Hay una tarde deslumbradora en la playa, en que el mar pone y quita el mantel, dejando sólo el salero en medio de la mesa.

❧

El piar de dos pájaros es un diálogo de puntos suspensivos.

❧

Me meto entre hombro y mandíbula el violín de la almohada y comienza la sonata del sueño.

❧

El murciélago suena a gozne de la puerta de la noche.

Peligroso es ver más estrellas de las que hay.

❦

Los monos tienen un gesto de alerta, como si temiesen la llegada del jefe de negociado que les haga trabajar.

❦

Si la muerte no se pareciese al sueño, la sería mucho más difícil el sorprendernos.

❦

En los conciertos debían registrar a la entrada para que no dejasen pasar ninguna tos de contrabando.

❦

En casa del bebedor, las botellas, asustadas, se meten debajo de la mesa.

❦

La muerte es la abrepuertas fatal. Tiene ganzúa para todas.

❦

Los árboles sólo saben que existen gracias a su sombra.

❦

¿Por qué se dice que zarpa el barco si no tiene zarpas? Zarpa el oso y zarpa el tigre.

❦

Cuando vemos salir la polilla del armario, la gritaríamos como a una ladrona: «¡A ésa! ¡A ésa!»

Cuando el ajedrecista se queda a solas con su Musa exclama: «¡Alfil solos!»

⊗

El jugador de pelota a cesta lleva una mano disfrazada de langosta.

⊗

Para el caballo todo el campo es tambor.

⊗

Nada retorna, pero todo se parece.

⊗

La polilla nos pega cuatro tiros y se va... Menos mal que no nos ha atravesado más que el chaleco.

⊗

Lo que hay que saber son las palabras justas para disuadir de un capricho a una mujer. Así cuando ella quiere una pulsera de jade hay que decirla: «Déjate de jade.»

⊗

No os sintáis tan confiados entre las flores, porque con las flores se hacen las coronas.

⊗

Los carteles de cine invitan al crimen y al amor.

⊗

La luna también espera que la toque la lotería y retirarse a la vida pacífica de los planetas sin reflejo, cansada ya de estar filmando todas las noches.

El murciélago es el enmascarado de la noche.

✥

La gran hazaña que rondan las hormigas es meter un piano de cola en su hormiguero.

✥

¿Qué hace la comadreja de árbol en árbol? Lleva chismes.

✥

El atril del pintor es capaz de sostener lo más monstruoso sin caer desmayado.

✥

Las rosas amarillas nacen con el pañuelo en la nariz, y al primer estornudo se deshacen.

✥

La calumnia es supersónica.

✥

Las telas de araña son las toquillas con que se abrigan las bodegas.

✥

Congreso Eucarístico: caen medallas de los árboles.

✥

Las hormigas tienen teléfono —ellas mismas tienen forma de teléfono— y se avisan entre sí: «Aquí hay bizcochos de vainilla.»

✥

—Déme medio kilo de ese café que huele, no del otro.

La luna: la hermana de caridad de la noche.

Llave que quieras perder, tírala muy lejos, porque, si no, puede volver.

Los cisnes son miopes: por eso miran tan de cerca el agua y meten la cabeza en su fondo.

Una sola mosca pone de luto todo el azucarero.

La jirafa anda como los gigantes de las ferias, enarbolada por dos hombres alquilados.

La carta aérea tiende a vestirse de arlequín.

¿De qué está lleno el tejado de la luna? De pelotas de los niños.

Berenjena: nombre de reina.

Las cigüeñas están por redactar un documento no responsabilizándose con el contrabando que las achacan.

—¿Vives?
—Sí.

—¿Mueres?
—Sí.
—¿Entonces?
—Vivo y muero al mismo tiempo, que eso es el vivir.

⊗

Hay unos potentes gemelos de carreras que empujan al caballo que quieren que gane.

⊗

El burro lanza con orgullo la serenata de su rebuzno. Cree que es Tita Ruffo[14].

⊗

Los langostinos cocidos se pintan las uñas.

⊗

Luna: cinematógrafo con películas viejas.

⊗

Nunca es mañana; siempre es hoy.

⊗

A la luna nunca la ha sentado bien el sombrero.

⊗

El 46 es un número matrimonial que se va dando un paseo conyugal.

⊗

Mirando a la luna nos ponemos bizcos de soledad.

---

[14] Famoso cantante de ópera durante la década de los 30.

208

El murciélago parece que sale desesperado de haberse pasado la tarde estudiando latín.

∞

Escribir a máquina: clavar palabras en el papel.

∞

El rayo cae como un suicida sin saber ni importarle a quién le va a caer encima.

∞

Luna refrescante: pay-pay de la noche.

∞

¿Es que saben los que duermen quiénes son?

∞

El primer árbol de Noel que aparece en una vidriera envejece al año y lo cuelga.

∞

Las avellanas tienen coronilla.

∞

La película comienza: la vanidad humana se oculta un rato en el túnel de la sala.

∞

Mucho juego de escarbadientes oculto gracias a la pantalla de la mano: virtuoso o virtuosa del violín de los dientes.

209

Corona de teatro: la que provoca más encarnizada lucha para escalar el trono.

⚘

Lo que hace el tenedor con más orgullo es batir huevos, pues es un favor extra que no entra en su obligación.

⚘

La tormenta es complicada: o estalla inmediatamente o si comienza a discutir se va sin estallar.

⚘

Los bocs con tapadera siempre son germanófilos.

⚘

Caída de camisa en público: inauguración de estatua.

⚘

El no haber muerto nunca es lo único que distingue a los vivos de los muertos.

⚘

Instantánea: dos senos con jersey.

⚘

Hasta pronunciar la palabra miel es pegajoso.

⚘

Desesperado salió del casino y volvió a la sala de juego con la ficha de nácar de la luna.

Tampoco tantos aplausos después de la sinfonía porque los aplausos pueden borrar el recuerdo.

❦

Golondrina: bigotes postizos del aire.

❦

En resumidas cuentas, el Pensador de Rodin será el hombre que más tiempo ha estado sentado en el retrete.

❦

El espejo roto se llena de puñales y de espadas de abordaje.

❦

Contestación de doncella descarada: «No tengo tres manos.»

❦

Confesión de media noche: asomarse a la ventanilla del despacho de la estación pidiendo un billete.

❦

Como la cabeza del violoncelista está cerca de la rizada cabeza del violoncello, todo sucede según las palabras que se digan al oído.

❦

La luna se pone distintas caretas cada noche, desde careta de diablo a careta de gendarme.

❦

El gallo tiene espuelas para ser *jockey* de la gallina.

Todos los días el día se hace un sombrero de papel con el diario del día.

❈

Las flores sobre la tumba comprenden la muerte, porque ellas, cortadas y abandonadas, se sienten también muertas.

❈

La luna es la castañera de la noche.

❈

Bohemia: islotes o promontorios de azúcar pegados al fondo del azucarero.

❈

El día de la Resurrección, todos aparecerán con trajes nuevos.

❈

Lagartija, cintas métricas y bananas, primas hermanas.

❈

El esqueleto nos sostiene como el atril sostiene la partitura.

❈

Donde el tiempo está más unido al polvo es en las bibliotecas.

El ideal del aficionado a la fotografía es poseer la mejor máquina para hacer fotografías de miserables.

❀

Nerviosismo de la ciudad: no poder abrir el paquetito del azúcar para el café.

❀

El ascensor nos espera como un buda de sube y baja.

❀

Los ríos no saben su nombre.

❀

Hay unos hombres que no tienen bigote nada más que los sábados por la noche.

❀

En el pico del ruiseñor canta la espina de la rosa.

❀

Tortuga: zapato del tiempo.

❀

La hora en que las golondrinas salen del colegio.

❀

El ideal de las piedras es lavarse los pies en los ríos.

❀

El deseo ferviente de la mujer es ponerse en las orejas los anillos de que pende la trapecista del circo.

El psiquiatra: «¿Qué le indujo a eso?» «¿Ver hacer churros en las verbenas?»

※

El 9 es la oreja de los números.

※

Los garajes son los museos del crimen no sucedido.

※

Bella época: aquella época en que las sombrillas bailaban el cancán.

※

Nuestros gusanos no serán mariposas.

※

Los fotógrafos hacen constantemente fotografías a los gatos; pero los gatos son los que hacen las mejores fotos a los fotógrafos.

※

La leche siempre es joven.

※

Escribir es que le dejen a uno llorar y reír a solas.

※

Nos dio un guiso de maracas rellenas. Pero, ¡qué borborismos después!

214

La reja es el teléfono de más corto hilo para hablar de amor.

∞

A veces el beso no es más que *chewing gum* compartido.

∞

Un chino inventó al gato.

∞

Nada más lleno de ausencia que un estadio vacío.

∞

Se miraron de ventanilla a ventanilla en dos trenes que iban en dirección contraria; pero la fuerza del amor es tanta que de pronto los dos trenes comenzaron a correr en el mismo sentido.

Apéndice histórico

Greguerías 1911-1912

¡Qué hermosa lagartija espera mi silencio en mi ombligo para tomar el sol!

Un ojo de ave, un ojo de ave, un ojo de ave sobre la ciudad lo desimpresiona todo y muestra la candidez de los ojos del Espíritu Santo, llenos de idéntica teoría a la del ojo de ave.

¡Oh, la calavera es un trabajo de mampostería, ni más ni menos, una cosa mecánica de artesano!... Y la muerte, con su sudario y su guadaña, tiene nuestra calavera, el mismo grado especial de ángulo facial de uno y el mismo diámetro y el mismo largo en los otros huesos...

En la tierra cortada a bisel se ve, como un pan de especias, una siembra de huesos... Los huesos sirven para hacer azúcar... Todos los huesos... No puede ser más jovial su objeto.

¿Por qué los relojes suenan como de acuerdo su tic-tac con otros relojes que dan su hora antes o después?

En los días de tormenta, y en los días grises y de tormenta son las galerías de fotógrafo lo más lamentable, con un blancuzco agrisado de nube industrial.

❊

Pensemos con los pulmones, que tienen una transigencia y una intuición más capaz que nada.

❊

Mirando a los faroles se explica todo el artificio grotesco de la ciudad.

❊

En sus ojeras hay algo de cristal y en ellas sufre ella la transparentación, el traslucimiento de los amores demasiados y de las muertes.

❊

Las mujeres que tienen las piernas largas, desnudas quedan más llenas de melancolía y más *reas* de humanidad.

❊

¡La hora, qué pasajera se hace en las fachadas!

❊

Los focos nos hacen cadáveres y nos llenan de lascivias encarnizadas.

Greguerías 1913-1919

¡Qué triste, qué densamente triste debe ser no comer en ese silencio que se hace a las dos en la ciudad, todos sus moradores en el comedor blindado y remoto a la calle!... Los hambrientos se deben sentir anonadados, llenos de irresoluciones y de una congoja mortal... El hambre de noche tiene más recursos, es por lo menos más trágica, más fantástica, no es tan atónita, tan evidente, tan meridiana, tan insolublemente meridiana.

En Carnaval los tuertos tienen los dos ojos... Por eso es un gran día de fiesta para ellos.

¡Qué inútil y qué triste un *carroussel* sin gente!... ¡Qué vano y qué desgarrador! Se ve su soledad de todos lados, su soledad de colores chillones, de azules y de amarillos subidos... Su soledad es tan triste porque su única alegría está en conducir gente... No puede disimular su desaire... Está vestido para eso y por eso no tiene refugio su vergüenza.

Las bombillas amarillas que alumbran las calles de provincias les dan una flaqueza espiritual y una deslánguida pobreza que no les daría la luna ni la misma oscuridad... Pone en ellas ese sistema precario de alumbrado una pena, una agonía, un desamparo de luz que no es luz, de luz municipal, luz sin esencia, una luz como más antigua que ninguna luz.

El cetro les sirve a los reyes, cuando son pequeños y van a la escuela, para pedir permiso al maestro para *ir a cierto sitio,* pues en vez de levantar dos dedos de su mano, levantan el cetro de oro rematado por una mano, que precisamente hace un gesto como de pedir para *eso*... Y les sirve, cuando son mayores, para rascarse con él la espalda —allí donde pica siempre—, como si fuese una de esas largas manecillas de marfil que usan algunas personas cochinas y sibaritas.

A las pelotas con sus franjas de color amarillo y rojo y a veces azul se las podría llamar, en recuerdo de la estrella de los vientos, las pelotas de los vientos... Todas las pelotas de los niños están siempre deseando escapar, brincar, irse muy lejos, con un ligero rodar y saltar... Las pelotas pequeñas, sobre todo, logran su ideal cuando se suben a los tejados y se quedan en ellos como en la gloria... Las pelotas de colores, las de celuloide, espirituales y raudas, las pelotas que son una naranja de goma, todas las pelotas gráciles, son un objeto de optimismo que conviene tener presente muchas veces para curar el alma.

La corbata es graciosa y trivial como ella sola. Sólo se ha llegado a *ejecutar* con una elegancia rotunda gracias a la corbata de cáñamo.

222

Dejar de llevar corbata es enlobreguecerse un poco; es no aceptar lo más irónico del vestuario, la bagatela por excelencia. Eso lo saben hasta los campesinos, en los que es un intento de corbata ese nudo con dos puntas tirantes con que se atan al cuello un pañolón de flores. Necesitamos tanto la corbata que si se nos ha olvidado ponérnosla, no nos encontraremos y sentiremos como si hubiéramos perdido nuestra mundanidad, nuestra categoría, nuestra distinción, nuestra superfluidad querida. La corbata es el atributo. ¿Qué clase de atributo? No se podrá aclarar esto; pero es el *atributo,* el atributo como atributo. El que más fijó en mí esta idea definitiva sobre la corbata fue aquel mendigo genial que, desastrado, sin camisa, cubierto sólo con una especie de chaleco con medias mangas, llevaba una corbata de lazo atada al cuello de carne. Aquella corbata en el hombre harapiento, rojo, renegrido, colgada sobre su cuello terroso y fuerte, fue como una exaltación del *atributo.* A aquel mendigo con aquella corbata enorgullecida no se le podían dar cinco céntimos; a lo menos había que darle diez. Era más maravillosa que la corbata de un dandy sobre la inmaculada pechera de un hombre de frac aquella corbata solitaria y sorprendente.

Las solemnidades necesitan una corbata para su día, una corbata que sea como la que se coloca al cuello el sacerdote al oficiar. Una corbata reservada los demás días y que no nos podremos poner sino ese día impar.

Así yo, para los actos más solemnes de mi vida, tengo una corbata roja con listas violetas. Ornamentado con ella presidí el banquete a *Fígaro* el día de su centenario, engalanado con ella voy a Pombo en las solemnes noches de los sábados y he subido a distintas tribunas, la más suprema entre todas aquella desde la que pronuncié el discurso inaugural de la Exposición de los Integros, acto único que sólo repitiéndose el mundo se podría quizá repetir.

La corbata que no se puede dejar de mirar es terrible. No se podrá oír lo que nos dice el hombre que la lleva. Caerán nuestras miradas en su corbata una y otra vez y nos despediremos de él mirando su corbata. Las corbatas ajedrezadas o con pintas blancas sobre negro os dejarán en el sitio, os cazarán y os retendrán como los papeles para coger moscas. Hay corbatas —muchas corbatas— de lacito que parecen mariposas, mariposas de todas las especies, con esa inmensa variedad de las mariposas... Mariposas pomposas clavadas en el cuello, con las alas abiertas, sutiles, vibrátiles.

La chalina es demasiado rimbombante, aunque cae con la suficiente volubilidad y desigualdad para ser artística. La chalina revela abundancia de imaginación y de espíritu, pero ha sido desprestigiada por los pobres de espíritu que querían aparentar la abundancia y por los autores del género chico que la han sacado a escena haciéndola el tópico del poeta... ¡Oh, esos Quintero!

Hay corbatas pueriles de estrecho talle y amplias caderas, vestidas como aldeanas endomingadas, que tienen sobre el pecho el valor de una lugareña de traje ingenuo, rígido y enguirnaldado. El cándido cateto y su corbata parecen el novio y la novia.

¿Quién pone de moda tales o cuales corbatas? Parece que el corbatero-director va a ver al príncipe que impone la moda de las corbatas en el gran mundo y le enseña los muestrarios. Ese príncipe que cada seis días tiene que elegir una corbata, a veces está de buen humor y elige una bella corbata; otra vez escoge con displicencia y elige cualquier cosa.

Las corbatas de plastrón son de una alcurnia grave. Sólo pueden ser usadas por un señor de rancia nobleza o por sus lacayos, sólo que las de los lacayos han de ser blancas, lisas y muy planchadas, en vez del cabujón monstruoso que centra la de los señores, un alfiler con corona, que se vende en las mismas tiendas que venden arneses, espuelas y serretas.

Hay corbatas de lazo muy estrechas, que forman un lazo muy fino y de alas muy largas, que parecen libélulas suspensas, dando al que las lleva —por lo general muy flaco y larguirucho— un aspecto de libélula.

La corbata del burgués es una burguesa vestida con

una moda antigua y una tela de colcha, una burguesa fatua y cargada de brillantes; una burguesa vueluda y oronda, satisfecha de las sortijas que lleva su marido en las manos y del dinero que lleva en los bolsillos.

Hay corbatitas pequeñas y de lunares que parecen una ficha de dominó.

La corbata blanca del frac es nítida y delicada como ninguna; es presuntuosa y virginal; es una señorita.

La corbata del loco es admirable y da gravedad a su rostro. Es una tira negra que cae suelta y enredada a lo largo de la pechera de su camisa de dormir. Es como una greña suelta de la tragedia de la locura. Esa clase de corbata y ese modo de estar desenlazada, da siempre un aspecto patético y extraviado al hombre que se la ha dejado así.

Hay falsas corbatas que no rodean el cuello del hombre con el amor femenino que guarda en sí la corbata. La corbatita de cordón con dos borlitas en los remates es una corbata paradisiaca, corbata de las camisas de dormir, pero que algunos hombres paradisiacos —quizá algún francés, quizá algún catalán— sacan a la calle bajo una barbita seráfica.

Las corbatas se destrozan atrozmente. Parece que van a ser eternas, pero se deshacen rápidamente. Siempre sin saber cómo nos las arreglamos para eso, nos encontramos que cuelga un montón de pingos tristes y fláccidos de la cuerda tirante en que se sostienen ellas. ¿Cuál nos pondremos? No hay ninguna buena, ninguna entre tantas, y una corbata raída compromete más y es más lamentable que unas botas rotas; una corbata destrozada es el más triste guiñapo, enflaquecida, deshilada, mustia como nada... ¿Entonces? Entonces nos pondremos la corbata negra de los lutos, de los entierros, de los pésames, que está poco usada.

Ante todas esas corbatas y las otras (las camaleónticas, las que tienen preciosos dibujos y entonaciones de serpiente o de escarabajo, y las otras y las otras), ¿cuál elegiremos? No lo sabemos. Llegaremos a cometer un gran desacierto con respecto a la moda. Nos dejamos engatusar siempre por el color vivo de una o por el dibujo audaz de otra, haciendo un matrimonio de amor en vez de un matrimonio de conveniencias. Sólo los diplomáticos saben escoger una corbata ideal y distinguida. Nosotros incurriremos siempre en graves errores cegados por la pasión. No sabremos tener el escepticismo y la impasibilidad del dandy. Tanto que a veces no nos atrevemos a usar alguna corbata comprada con el mayor entusiasmo. ¡Oh, cobardía!...

Greguerías 1920-1927

El aparato más sabio del mundo es el de la cascada de agua para el retrete, con cuya cadena en la mano todos somos Moisés milagrosos.

En el almanaque de las gallinas todos los días conmemoran los innumerables mártires y los pobrecitos inocentes.

Un obrero con gafas es lamentable. Por sus gafas descubre más la injusticia de su suerte, la ve mejor, la ve como un caballero, como un hombre de ciencia, como un intelectual. Esos obreros de blusa azul que gastan gafas entristecen más la esclavitud de sus compañeros y parece que merecen otro trato, que entienden de otra cosa y se han tenido que dedicar al duro trabajo por fatalidad. Apiadan sus gafas, no les hacen compañeros y se teme su mirada.

Hay una nube temprana de la mañana que es como el bizcocho o ensaimada con que se desayuna el cielo. Desaparece en un abrir y cerrar de ojos, sin saber cómo, devorada por el azul hambriento.

Hay unas nubes que son como vedijas escapadas al colchón del cielo, descosido por algún lado.

❦

El hambre del hambriento no tiene hache. ¡Con filigranas al *ambre* verdadera! El *ambre,* si es verdadera *ambre,* se ha comido la hache.

❦

Las calvas iluminan el patio de butacas. Son la batería de candilejas de la sala.

❦

Cuando las botas suenan a vacío es que el alma está de muda.

❦

En el alba son los árboles —su propia fronda— los que lanzan los primeros silbos, explorando si el mundo ha sido ya vuelto a crear... Después los pájaros se atreven a piar y, adquiriendo confianza, vuelan, revuelan y trasvuelan...

❦

El ruido del tranvía raya el cristal de la noche.

Al verano de Castilla sólo le hacen falta unos leones en libertad.

❦

La luna está llena de catedrales heladas.

Cuando los podadores cantan sobre los árboles que ramonean, se ve que el cantar humano es más triste que el de ningún pájaro.

El secreto de la gracia de los clowns es que se caracterizan de calaveras.

Greguerías 1928-1936

Esos tres curas que pasan juntos por el paseo lo convierten en paseo mayor cantado.

Un pie levanta la colcha del mar: es el delfín.

Esa gárgara de valle de lágrimas que es el balido, acentúa su gargarismo de dolor en el atardecer.

Cuando el viejo llega a leer con lupa, vuelve a encontrar las letras del tamaño que tenían en los catones en que aprendió a leer.

Los asfaltadores parecen lacrar la ciudad para certificarla.

Las verjas de los jardines presentan armas al que pasa.

230

En las aguas minerales burbujean peces invisibles, almas del silencio acuático, respiración de ranas, peces desaparecidos y últimos suspiros.

Sólo en el circo se aguanta una cosa que debía ser contraste de todas las cosas serias de la vida: el que los clowns hagan la parodia de lo que ha salido antes.

Cuando, con los ojos cerrados, nos encaramos con el sol, vemos un punto negro: el punto muerto de nuestra vida; punto aciago que no se enciende en chiribitas.

Hay un timbrazo de la calle que deja muerto sobre la mesa el pájaro azul del telegrama.

La camisa planchada nos espera con sus brazos cruzados.

A la hora de mediodía es cuando los relojes de torre tienen más hambre y comen tortillas de sol.

Hay que tener cuidado en no pensar cosas demasiado geniales, porque el cerebro sólo está hilvanado.

El portero de fútbol parece un perro que roe el hueso de la impaciencia a la puerta de su perrera.

En las caracolas ha quedado rizada en miniatura una ola, un rizo del mar cuando era niño.

Una pedrada en la Puerta del Sol mueve ondas concéntricas en toda la laguna de España.

Greguerías 1940-1952

Al sentirnos mal tenemos sudor frío de botijos.

El ladrido es el eco de sí mismo.

El café es el tinte que usa el corazón para teñirse el pelo.

El primer sonajero y el hisopo final se parecen demasiado.

Al levantarse el telón viene del escenario un viento frío como del otro mundo, del mundo de la inmortalidad de los grandes repertorios.

233

Las lilas son la blusa de percal de la primavera.

⊗

La langosta de mar tiene, en vez de ojos, gemelos de teatro.

⊗

Del otro lado de la luna cae el pañuelo negro de su dolor de muelas.

⊗

Es triste que el interior de los baúles esté empapelado de pasillo.

⊗

El aldabón acuña la moneda de la llamada.

⊗

El árbol busca un corazón bajo la tierra con las manos crispadas de sus raíces.

⊗

Cuando decimos «primo segundo» tenemos algo de porteros situando a un vecino.

⊗

Lo terrible es cuando el alma se pone a hablar con el corazón en el fondo tenebroso del pecho.

El ciprés es la pluma del paisaje clavada en el tintero de una tumba.

☙

Las Venus antiguas nos sonríen desde el cuarto de baño de la inmortalidad.

☙

La rana con traje de trovador sólo busca su laúd.

☙

La llama es el burro con coquetería de mujer.

☙

En la Vía Láctea se agolpa el polvo fulgurante que levantaron en su camino las carrozas siderales de los grandes mitos.

☙

El reflejo de la luna en el lago es como el teclado de luz de un gran piano de agua.

☙

Cuando la luna queda asomando al filo de una hilera de nubes que corren, se ve lo que tiene de bola de billar.

☙

El consomé es agua bendita caliente.

☙

En la Academia debía haber para los niños prodigio una silla alta como la que hay en las peluquerías para cortarles el pelo.

Las hormigas llevan el paso apresurado como si las fuesen a cerrar la tienda.

⊗

Alma grande es la que se da cuenta de que el perro tiene sed y le da de beber.

⊗

El ombligo es para que le salga el agua al ahogado, pero nunca cumple su misión.

⊗

«¡Qué sábana más dura!» (Era su losa.)

⊗

La mujer mira al elefante como queriéndole planchar.

Greguerías 1953-1962

Premio para el escritor: un calamar de oro.

De una bella espalda descotada salió la televisión.

Un clown enharinado es la croqueta cruda para la risa.

El bañista sale de la ola como el payaso de la alfombra que se desenrrolla en la pista.

Las gallinas son tartamudas.

El esqueleto es el traje de toreo de la muerte.

Boina: disco de música vasca para la cabeza.

237

Las sardinas en lata siempre viajan en tranvías llenos.

❈

Las rosas rompen sus cartas de amor.

❈

Hay una respuesta a la luna en las vacunas de las mujeres hermosas.

❈

La naranja, bajo su gorro de oro, tiene vendada la cabeza.

❈

La q es la p que vuelve de paseo.

❈

Las moscas se andan en las narices.

❈

Grajo: palabrota con alas.

❈

El helicóptero vuela con el pelo de la coronilla.

❈

Las golondrinas imitan con sus chirridos y silbos el frenar de los autos cuando reprimen sus cuatro ruedas frente al portal del verano.

La golondrina se baña un instante en el agua como la mano que roza la pila de agua bendita y después traza la persignación de su vuelo.

❧

Tres golondrinas paradas en el hilo del telégrafo forman el broche de la tarde.

❧

Toda primavera trae un cucurucho de golondrinas y lo abre para que suceda la magia de esa repoblación del cielo que proclama la continuidad de la vida sobre la continuidad de la muerte.

❧

La golondrina es escritura, palotes y comas reunidos por la pluma expedita del escriba esparcido del destino.

❧

La golondrina que da vuelta rápida a la esquina parece que lleva en el pico un alfiler a la dama que lo necesita con urgencia.

❧

La golondrina marca de inmortalidad nuestro paso por la tierra y pone su sello alegre en nuestro pasaporte, que no será válido en su hora si no lleva ese paréntesis que vuela.

❧

El violinista toca la última parte como si se le fuese el tren.

¿Cómo habría que saludar al sastre cuando nos ha hecho el que creemos nuestro último traje?

❀

Lo malo es que al final se desnuca la vida.

❀

Madrid es la lucha de lo profundo y lo requintado, la mezcla de los dos estilos del pensar y el sentir sin incurrir en el barbilindismo y menos en la sobonería.

❀

Madrid es que se nos vuelve a agarrar Goya al pecho en cuanto comienza la primavera. Es ver pasar al caballero del medio gabán.

❀

Madrid es oír en la alta noche el ladrido y el maullido de lo antiguo.

❀

Madrid es no tener más empeño que seguir siendo lo que se es.

❀

Madrid es esperar, como tortugas debajo del armario casero, a que llegue la primavera.

Madrid es no suicidarse por nada del mundo; primero porque en Madrid no se tienen ganas de suicidios, después porque su río no tiene agua y, por fin, porque sus pistolas son tan viejas que no se encuentran cápsulas para ellas ni en el Rastro.

Madrid es esperanza y goce de claridad de pensamiento.

Madrid es que haya siempre iglesias abiertas y a mano para asilo y confesión.

Guarda Madrid un modo de vivir único, no especulando más que con el aparecer el nuevo día, asomarse a un balcón o pasear un rato.

El ideal del madrileño es conservar mucho tiempo, sin que se caiga, la ceniza del cigarro que se está fumando, consiguiendo así la inmortalidad de lo efímero.

Madrid es ver una tienda dedicada a objetos artísticos hechos con corcho y volver a ver que persiste aun pasados los años.

En Madrid se sienten las calles como una paternidad unida a una maternidad; por eso es el único sitio en que nunca se es huérfano.

Madrid es merendar con sólo oír las campanadas de la tarde.

Cuando el murciélago se va a acostar ya sabe las noticias de última hora.

Greguerías publicadas en *ABC* entre 1961 y 1963

Mejillones: semillas azules del mar.

❈

El murciélago no es más que sombra de pájaro.

❈

Mondar una patata es como darle cuerda.

❈

Las golondrinas juegan al tobogán del aire.

❈

El ladrido dura hasta que el perro no varía de idea.

❈

Las moscas son los únicos animales que leen los diarios.

❈

El mar arrastra de los pelos al río.

El jardín estaba nervioso por las cosquillas de las mariposas.

❀

Las ranas abuchean la comedia de la noche.

❀

El moscardón es el inspector de moscas.

❀

El moscardón zumba en latín.

❀

La sardina tiene cuna de plata.

❀

Las piñas se apiñan no sabiendo qué hacer.

❀

Los melocotones tienen buen forro.

❀

Por lo menos, con la alianza se caza un dedo.

❀

Mujer: nubosidad variable.

❀

Sólo tenía la visión de visón.

Amor firme: sólo el de las ruedas dentadas de las máquinas.

❧

Desvío amoroso: «Huelga de brazos caídos.»

❧

Le condecoró con uno de sus pelos rubios, pero la esposa casi lo mata.

❧

El relámpago de las bellas piernas cruzadas.

❧

Las primeras golondrinas salen de los ojos negros de las mujeres jóvenes.

❧

«Flirt»: Coqueteo en inglés de los que no saben inglés.

❧

Falda corta: telón levantado sobre el guiñol de las piernas.

❧

El que nace no sabe dónde se despierta.

❧

La seta revela el deseo de vivir que tiene la tierra, para el biel o para el mal.

Longero[15]: el que merece el premio de un reloj de oro.

&

Negaros a agarrar la L negra de la pistola.

&

Morir: desnacer.

&

El baño, al desaguarse, protesta de lo sucedido.

&

Holanda: palabra que calma.

&

El hierro suelta sangre roja.

&

La campana suena a melancolía porque la toca la pesada lágrima del badajo.

&

Hay que inventar la manera de lavar los pies a los quesos.

&

El ácido bórico tiene ternura para los ojos.

___

[15] Parece una alusión a la marca suiza de relojes Longines.

Ladrillo: pequeño aparato de radio sin maquinaria.

❦

El tamboril se come con sus palillos el arroz del redoble.

❦

La obligación del corcho es quedarse con el dedo metido en la botella.

❦

El viaje más barato es el del dedo sobre el mapa.

❦

Toledo: caballete de gran altura para colocar el cuadro de su propio paisaje.

❦

Gotea letras la máquina de escribir.

❦

¿Las mujeres de Picasso están mejor con sombrero o sin sombrero?

❦

Dalí afina sus pinceles como si fuesen sus bigotes.

❦

Tocadiscos: la sartén de la música.

❦

Al afinar el violín se le tira de las orejas.

La Gioconda es la presidenta de la caridad universal.

❦

Música moderna: una música que sale por distintas puertas.

❦

Profanación: cuando ellas imitan al Cristo de Velázquez con un mechón sobre la cara.

❦

Jazz: todas las cacerolas llenas de contento.

❦

Una greguería es el buscapiés del pensamiento.

❦

Libro: hojaldre de ideas.

❦

Calle moderna: sopa de letras luminosas.

❦

Los kilómetros suplantan a las leguas.

❦

Tenía un despertador que daba pesadillas. Lo tiró.

❦

Lo malo de la hoja de laurel es que no se ahoga en el guiso.

248

El viento azota los calzoncillos tendidos.

❧

¿Edificios? No-Clasificadores gigantescos.

❧

El helicóptero puede bajar del espacio y libar una flor.

❧

El defecto de la Historia es que siempre está en varios tomos.

❧

Humo: chal de fuego.

❧

Grito capitalista: «¡Dos naranjas exprimidas!»

❧

Bígamo: viga para sostener dos mujeres.

❧

El hipo viene de lejos y sin haber avisado.

❧

La trigonometría es la siembra abstracta del trigo.

❧

Ofelia: sonámbula del agua.

❧

El espejo no sólo nos repite; el espejo nos juzga.

249

El sueño nos llama como una mujer de cabellos largos para que nos vayamos a la cama.

※

La G es la C que se ha dejado bigote y perilla.

※

Cuando bostezamos frente al espejo nos tragamos a nosotros mismos.

※

Gobelino[16]: el mayor billete de banco que se conoce.

※

De la pipa salen medias de humo.

※

Un pitillo aguanta un disgusto y hasta tiene gestos de ironía, pero una pipa no lo resiste y se apaga vencida.

※

El hipo destroza la hipocresía.

※

Las rodillas son los membrillos del ser humano.

※

Al desconfiado le dan vuelta los ojos alrededor de la cabeza.

---

[16] Tapiz hecho en la fábrica que estableció Luis XIV de Francia en la fundada por Jean y Jacques Gobelin, y que empezó a trabajar para la casa real bajo el reinado de Enrique IV.

El que sostiene el vaso de "whisky" queda manco de ese brazo.

❀

Lo único mío —ya lo sé— es el miocardio.

❀

Volveríamos a la infancia si encontrásemos la pelota que se nos quedó en el tejado hace muchos años.

❀

Mujeres, fijaos: según cómo golpee la ceniza de su cigarrillo será más o menos olvidadizo.

❀

Hay que ponerse los guantes como caballero, no como ordeñador.

❀

El niño cree que una cuchara es su cetro.

❀

Al frotarse los ojos se ve a Saturno y sus satélites.

❀

La razón pura es el queso blanco.

❀

Las lágrimas desinfectan el dolor.

El que se quita las gafas al fotografiarse sale desvanecido.

❧

El joven cree que en todas las puertas pone: «Empuje.»

❧

Lo malo de la primera cana es que los demás pelos se contagian.

❧

El chaleco metido por la cabeza domina al joven.

❧

El viejo parece que está oyendo música siempre.

❧

Locutor: el que habla con eco.

❧

Tenía el puesto de impostor.

❧

El coctelero, en su mostrador, prepara risas variadas.

❧

¿Qué tenía de pintor? Una americana de terciopelo.

❧

Capitalista: gimnasta de muchos teléfonos.

El fumador en pipa siembra algo del tabaco que consume; el de cigarrillos, no.

⊗

Plato universitario: calabacines rellenos.

⊗

Motociclista en plena carrera, un enano que huye vertiginosamente.

⊗

Arponero: el que pone banderillas a las ballenas.

⊗

Hay conferencias fúnebres en las que asistimos al entierro de una idea.

⊗

Aquel escolar estudiaba como un conejo cuando come hierba.

⊗

El gastrónomo se muere cuando se le sale el gas.

⊗

Al diplomático le salen tarjetas por todos lados.

Castañera: bruja en jubilación de aquelarre.

Una revolución no es completa si no se oye gritar: «¡Vamos a matar a los pavos reales!»

Greguerías en el «Diario Póstumo» [17]

(Barcelona, Plaza y Janés, 1972):

Los griegos se morían soltando palabras griegas por la boca.

¿Cuándo se quedó el camello tal como es? En un temblor de tierra.

La tos es el ladrido de los pulmones.

El ruido del reloj es que os está cavando la fosa.

Nunca se sabe de dónde es una sardina.

La silueta de España en la esfera terrestre es como el escudo de entrada en la casa de Europa... Todo lo demás son los fondos del caserón.

---

[17] El *Diario póstumo* se inicia con una entrada del 5 de septiembre que parece ser del año 1952 y termina después del 11 de septiembre de 1955.

«¡Qué hermosos ojos negros!» es el piropo que está reclamando la calavera.

※

La USA usa a los hombres y los tira.

※

Mujer: Doña posturitas.

※

Los faroles de la ciudad están muy ofendidos con los perros. ¡Yo sé por qué!

※

Claro de luna: ya está ahí la luna tocando la mandolina.

※

Los ratones hacen contrabando de pulgas.

※

Colas de cine: colas de hambre de fantasía.

※

La liebre no confía ni en la alfalfa.

※

El frío nos asusta gritando: «¡Que viene el polo!»

※

La vida es así: «¿Se ha acomodado bien? Pues entonces, ¡fuera!»

El director de orquesta aletea sin alas.

❈

Can-Can: nube de enaguas y reclamo de medias.

❈

Edison incubó la primera bombilla eléctrica.

❈

Catarro: debajo de la almohada, escondido el conejo del pañuelo.

❈

La mujer nos mira como un perro dócil, pero inmediatamente nos mira como un perro rabioso.

❈

La nariz es lo menos permanente del rostro humano, aun cuando esté representada en mármol o piedra.

❈

El tiempo ya no es oro, es pan, sólo pan.

❈

Ni siquiera el maletín —que siempre nos resultó pequeño— lo necesitaremos para el gran viaje.

❈

Navaja: pez doblado por la mitad.

❈

Los cardos son el coco de las margaritas.

❈

Hay mortales que tienen cáncer.

El beso, ¿es un préstamo o un regalo?

❈

El enjuagatorio del alma es la jaculatoria.

❈

Una cosa que no sé si ha sucedido nunca: que una golondrina se haya metido por el agujero de una guitarra colgada.

❈

Toros: moderno teatro griego: asiento de piedra y tragedia en la escena.

❈

El despertador mete en la casa un ruido de peluquería, cortando el pelo del tiempo a la tijera.

❈

Muerto: boda con el ciprés.

❈

Colegios y colegios de patos, pero siempre tan analfabetos.

❈

Circo: Los animales de circo ponen la pezuña en un taburete como para que el domador les limpie los zapatos.

❈

Cuando las cucharas de toda la familia arremeten con la sopa, parecen remeros de regata.

Las porcelanas nos acompañan en la vida, pero fríamente.

❦

Hay quesos que son puro cáncer.

❦

La lagartija es la rendija verde de la tapia.

❦

Vitrales: mariposas de catedral.

❦

Todo contrato tarda un rato.

❦

La Dama de Elche es la primera mujer que gastó auriculares.

❦

Tarjeta del suicida: una hoja de afeitar.

❦

Para una cantidad grande, ¡cuidado que es chico el cheque!

❦

Los senos de la bella están llenos de mariposas de besos.

❦

Pez: alfiletero de espinas.

La luna es uno de esos peces redondos y pálidos que hay en el fondo del mar.

Hay mujeres que creen que lo único importante en ellas es ese poquito de sombra con que se inicia su escote.

Colección Letras Hispánicas